WORKING WIVES' COOKBOOK

JANET WARREN

A Martin Book

Published by Martin Books
8 Market Passage, Cambridge CB2 3PF
in association with
The Wall's Meat Company Ltd
Malthouse Walk, Banbury, Oxon OX16 8QL

First published 1981
© The Wall's Meat Company Ltd and Janet Warren 1981
ISBN 0 85941 157 5

The author would like to thank the following for their help in the
compilation of this book: The Microwave Oven Association;
TI Creda Ltd; Anchor Hocking; and the organisations who kindly
supplied photographs.

Cover picture and photographs on pp. 7, 19, 23, 31, 59, 63, 67, 75,
79, 87, 91 and 95 by John Lee; p. 27 from Danish Agricultural
Producers; pp. 39, 43 and 47 from the British Sausage Bureau;
p. 51 from the British Bacon Bureau; p. 71 from the Pasta
Information Centre.

Illustrations by Tom Bailey
Design by Ken Vail Graphic Design
Typesetting by Rowland Phototypesetting Ltd, Bury St Edmunds
Printed and bound in Great Britain by
Morrison & Gibb Limited, Edinburgh

CLAUDE VIRMONNE

LE CHEVALIER D'ESPÉRANCE

LIBRAIRIE JULES TALLANDIER
17, rue Remy-Dumoncel, PARIS (XIVe)

LE CHEVALIER D'ESPÉRANCE

PROLOGUE

Il faisait, en ce jour de mars, un temps pluvieux et gris. Une petite pluie fine battait les hautes fenêtres ogivales de la grande salle du Palais de Justice, et les vieilles boiseries, les plafonds à caissons, les robes rouges des magistrats, les visages attentifs des jurés, s'éclairaient d'une lumière blafarde qui faisait paraître plus creux, plus ravagés et plus las, les traits de l'accusé debout entre deux gendarmes somnolents.

Une assistance relativement peu nombreuse occupait l'espace réservé au public, car le procès que l'on jugeait ne provoquait pas l'intérêt passionné suscité par les causes sensationnelles. Quoi de plus banal, de plus sordide, en effet, que ce meurtre d'une vieille femme riche par un protégé auquel elle refuse de l'argent ? Le scandale causé par la personnalité de l'accusé au moment de son arrestation s'était amorti pendant les lenteurs de l'instruction ; d'autres plus récents sollicitaient la curiosité, et seuls les habitués des audiences, les journalistes, suivaient les débats.

... Le réquisitoire prononcé, ce fut la plaidoirie ; puis le jury se retira dans la salle des délibérations.

Du temps s'écoula. On chuchotait dans l'assistance gagnée peu à peu par l'énervement de l'attente. Des conversations s'engageaient ; on échangeait des pronostics. Puis une sonnerie retentit, si grêle qu'on l'entendit à peine, marquant la fin de la délibération des jurés.

Quand ils reparurent dans la salle, il faisait si sombre, malgré l'heure peu avancée, qu'on dut allumer les lampes dont la lueur jaune se refléta sinistrement sur les robes rouges des juges ; et la pluie se mit à tomber si fort que le bruit de l'averse couvrit la voix du chef du jury tandis qu'il lisait les réponses aux questions...

Puis le tribunal prononça le jugement. Un murmure parcourut les bancs de la presse, parvint au public :

— Dix ans de réclusion...

En attendant l'arrêt qui le condamnait, l'accusé poussa un sourd gémissement et s'affaissa. Puis il se redressa et, tournant vers le fond de la salle, où se trouvait sans doute quelque être cher, son visage ravagé qui se souvenait d'avoir été beau, il cria :

— Je jure que je suis innocent!

Les gendarmes l'entraînèrent. Les journalistes se hâtèrent vers les cabines téléphoniques et les assistants, lentement, s'écoulèrent... En sortant du vieux palais, ils respiraient l'air humide et frais, parlant de leurs soucis et de leurs affaires. Comme on oublie un acteur après que le rideau est tombé sur la dernière scène du spectacle, ils avaient déjà oublié le condamné pour lequel commençait le châtiment, infligé par la justice des hommes, pour un crime qu'il n'avait peut-être pas commis...

Et les années passèrent...

CHAPITRE PREMIER

A nouveau l'on se trouvait au mois de mars. Le printemps avait surgi brusquement à Paris, comme un prince venu incognito, pour l'arrivée duquel la ville se parait en hâte ; l'air sentait le mimosa dont les éventaires des fleuristes offraient des bottes et les marronniers du boulevard Raspail, encore nu la veille, se vêtaient de feuilles, nées en une nuit. Les jeunes gens fredonnaient la dernière chanson d'amour en vogue ; la chaleur, survenue trop vite, alanguissait la démarche des femmes qui, rejetant leurs fourrures inutiles, s'arrêtaient devant les vitrines des magasins, avec ce désir de toilettes nouvelles qu'aiguisent chez toute fille d'Ève les changements de saison.

L'une de ces passantes attirait l'attention par la grâce de sa silhouette et la beauté de son visage pâle et fin, aux grands yeux foncés sous des cheveux blond cendré. Elle était vêtue avec cette élégance anonyme qui fait illusion sur la fortune et la classe sociale ; rien en apparence ne la différenciait des autres promeneuses, et seul un œil très expert eût pu distinguer des traces de fatigue sur son costume tailleur « prince de

Galles » bien coupé et soigneusement repassé, et que son sac à main, de même que ses gants, indiquaient un long usage.

Pourtant, il arrivait qu'un passant se retournât sur la promeneuse, ému, intrigué par sa pâleur singulière, l'expression émouvante de son regard... Mais, comme il n'est pas dans nos mœurs de s'intéresser à la détresse soupçonnée d'une inconnue, celui dont le cœur, un instant, s'était ému du pathétique appel contenu dans les prunelles de sombre velours s'éloignait vers ses propres soucis, ses propres joies ; et la jeune fille continuait son chemin.

Sa démarche devenait chancelante, incertaine ; parfois, elle s'arrêtait, pour repartir ensuite. A un moment, elle se retint à la devanture d'un magasin de nouveautés devant lequel elle demeura quelques minutes immobile... Et ceux qui la voyaient dans cette attitude pouvaient la croire occupée, comme les autres promeneuses, à faire son choix parmi les toilettes d'été ; alors qu'en réalité elle ne voyait même pas les robes, les blouses, ni aucun des élégants colifichets que les commerçants offrent à la convoitise des femmes.

Pour Sylvaine Bréal, le printemps n'avait pas de gaieté, pas de promesses ; et elle ne songeait pas à la coquetterie... Elle se demandait combien de temps encore elle pourrait tenir à ne faire qu'un repas par jour, et trop maigre pour rassasier son jeune appétit ; tout en courant dès le matin à travers Paris, à la recherche d'un emploi pour remplacer celui qu'elle venait de perdre, et qui leur permettait bien juste de vivre, sa grand-mère et elle.

Et c'était la faim qui imprimait à son visage cette pâleur émouvante, la fatigue qui faisait chanceler ses pas, l'angoisse du lendemain qui mettait dans ses yeux cette expression bouleverssante qui alertait les passants...

Elle portait seule le fardeau sous lequel se courbaient ses frêles épaules ; il lui fallait se taire, dissimuler son découragement, son appréhension de l'avenir à l'aïeule dont le grand âge commandait des ménagements. Rendue puérile par les années et les chagrins éprouvés, la vieille dame se reposait entièrement sur Sylvaine des questions matérielles. Ce soir, il en serait comme la veille et comme les autres jours ; quand la jeune fille, lasse de sa course épuisante et vaine, regagnerait le petit logement où la vieille dame attendait son retour, celle-ci questionnerait de sa voix douce, usée et un peu indifférente :

— As-tu enfin trouvé un emploi, Sylvaine ?

Et la jeune fille, une fois de plus, devrait rassembler ses forces pour affecter l'insouciance et répondre, avec une suffisante désinvolture :

— Pas encore. Ce sera pour demain, je crois. On m'a enseigné quelque chose qui me paraît tout à fait convenable...

Et, de même que la veille, sans doute, Mme Bréal pincerait les lèvres, ainsi qu'elle faisait au temps où elle était considérée, respectée, en disant :

— Oh! il ne faut pas prendre n'importe quoi !

Pleine d'illusions que rien n'entamerait jamais, la vieille dame réalisait mal leur changement de situation, et les conséquences pratiques de leur déchéance ; elle ne comprenait pas que les grandes douleurs sont suivies d'un cortège d'épreuves et de soucis...

Et, alors que Sylvaine était lasse de frapper à des portes pour apprendre que la place qu'elle sollicitait venait justement d'être attribuée, elle devrait répondre :

— Je ferai pour le mieux, grand-mère. Ne te tourmente pas...

Mᵐᵉ Bréal ne poserait pas d'autres questions. Elle ne demanderait qu'à être rassurée, et ne s'étonnerait pas que sa petite-fille se contentât du léger dîner qui lui suffisait à elle-même : un bol de soupe, un fruit... sans se douter que Sylvaine se privait pour faire durer le peu d'argent qui lui restait. Ignorant l'effort quotidien de la jeune fille, ses soucis concernant leur subsistance, la vieille dame se plaignait d'être trop souvent seule, dans le triste petit logement du cinquième étage.

Et Sylvaine devait consoler l'aïeule et, après une enfance heureuse et comblée, se mesurer, seule, sans appui et sans expérience, avec le dur problème de gagner sa vie.

Elle croyait l'avoir résolu... et puis, brusquement, la maison de commerce dans laquelle elle tenait l'emploi de secrétaire vint à fermer. Les situations étaient rares ; bien qu'elle ne se montrât guère exigeante, elle n'en n'avait pas retrouvé. Et, à mesure que les jours s'écoulaient, la jeune fille voyait, avec une terreur profonde, s'amenuiser leurs maigres économies et apparaître le spectre hideux de la misère...

... Cependant, elle ne pouvait rester indéfiniment ainsi, appuyée à cette devanture derrière laquelle les mannequins de cire souriaient, offrant de charmants atours en des poses affectées... Il lui fallait regagner son domicile, et le chemin à parcourir était encore long ; elle regrettait d'avoir voulu économiser l'argent du métro. Avec un soupir de fatigue, elle se remit en marche. Elle

avançait péniblement. D'instant en instant, la
lassitude, la chaleur, la dénutrition, la rendaient
plus faible. Elle était si lasse et si légère en même
temps qu'il lui semblait par moments que ses
pieds ne touchaient plus la terre, qu'elle glissait à
la surface du sol. Ses oreilles bourdonnaient, les
choses, autour d'elle, perdaient de leur densité,
devenaient floues, vaporeuses...

Elle voulut traverser le boulevard sur lequel
couraient des véhicules ; elle attendit deux ou
trois minutes sur le trottoir, mais ne voyant pas
d'accalmie, saisie d'une brusque impatience et
sans bien se rendre compte de ce qu'elle faisait,
elle descendit sur la chaussée. Des cris reten-
tirent :

— Attention !

Elle vit alors un lourd camion qui venait sur
elle. Il lui suffisait de s'élancer, de courir, pour
se mettre hors de son atteinte ; mais, incapable
de faire cet effort, saisie de vertige, elle étendit
les bras, d'un geste instinctif qui implorait grâce,
puis elle tomba. Les gens crièrent... Dans une
demi-inconscience, elle sentit deux bras puissants
la soulever, l'emporter, puis elle perdit connaissance... La froide odeur de l'éther l'éveilla.

— Elle revient à elle, dit une voix qui lui parut
comme étouffée par une masse cotonneuse.

Entrouvrant les paupières, elle vit, penché sur
elle, le visage d'un homme en blouse blanche qui
lui faisait respirer le contenu d'une bouteille. Des
flacons étiquetés, des bocaux, lui faisaient une
sorte de toile de fond. Sylvaine se demandait ce
qui lui était arrivé ; et puis la mémoire lui revint
et elle comprit qu'elle se trouvait dans une pharmacie.

— Cela va mieux ? demanda la voix.

La jeune fille balbutia quelques mots inintel-

ligibles, tout en se détournant pour fuir l'écœu-
rante odeur de l'éther.

— Il s'agit d'un simple évanouissement, disait
le pharmacien à un interlocuteur invisible pour
la jeune fille. Grâce à vous, le camion ne l'a même
pas effleurée.

— C'est une chance que je me sois trouvé là!
répondit celui auquel il s'adressait.

— Une véritable chance, en effet...

Une chance...

... Un amer sourire crispa les lèvres de Sylvaine. Elle ignorait la chance, elle ne savait pas
ce que ce mot, appliqué à elle, pouvait signifier.
Si jeune, — elle avait à peine plus de vingt ans,
— elle connaissait la souffrance, l'opprobre, toutes
les humiliations, toute la solitude et la difficulté
de gagner son pain... Elle referma les yeux qu'elle
avait ouverts ; elle eût voulu retourner à son
inconscience de la minute précédente... Maintenant, il lui fallait recommencer à vivre, à lutter,
à craindre, à avoir faim... Sous la frange de ses
longs cils, deux larmes roulèrent lentement jusqu'à sa bouche pâle, au dessin mélancolique et
délicieux.

— Qu'est-ce qu'il y a ? demanda le pharmacien.
Vous souffrez ?

— Non.

Elle contracta violemment les paupières pour
empêcher les larmes de couler.

— C'est la réaction, fit la voix de l'homme que
Sylvaine ne voyait pas.

— Je suis... stupide, murmura la jeune fille.

Elle souleva une de ses mains, la porta à son
front pour relever une mèche de cheveux qui la
gênait, mais le geste demeura inachevé.

— Comme je me sens... lasse! soupira-t-elle.

Le pharmacien hocha la tête. C'était un homme

âgé ; il avait eu l'occasion de frôler bien des drames;
et savait par expérience les difficultés d'existence
de ces jolies filles sur lesquelles le passant se
retourne ; et les misères qu'elles dissimulent sous
leurs fards et leurs sourires ; il comprenait ce que
cette pâleur, cette faiblesse, voulaient dire...

— Ces premiers jours de chaleur sont fati-
gants, émit l'autre homme.

Avec une curiosité vague, Sylvaine tourna la
tête dans sa direction, et le pharmacien expliqua :

— Monsieur regagnait sa voiture lorsque vous
êtes tombée ; c'est lui qui vous a ramassée et
vous a empêchée de justesse de rouler sous un
gros poids lourd qui descendait le boulevard et
venait sur vous. Vous pouvez dire que vous lui
devez d'être en vie, car, sans la rapidité de son
intervention, le camion vous aurait immanqua-
blement écrasée...

Sylvaine revit le mastodonte s'avancer sur
elle, elle se souvint de son impuissance à se mou-
voir, et elle frissonna.

— Je me rappelle...

— C'est également Monsieur qui vous a trans-
portée ici, acheva le pharmacien.

— Je vous suis bien reconnaissante, monsieur,
dit la jeune fille.

Elle se souleva et fit alors connaissance de son
sauveur. Il n'était pas jeune, mais il avait dû
être beau, quelque vingt ans plus tôt. Son visage
aux traits fermement dessinés s'ornait d'une courte
moustache grise ; deux longs plis coupaient ses
joues et son expression était froide et distante.
Les vêtements, cossus et de coupe élégante, la
lourde chevalière d'or de son doigt, révélaient
l'opulence ; ses manières, sa façon de parler, l'assurance de son maintien, disaient la puissance, l'habitude d'exercer l'autorité.

... Les traits auxquels les façons de vivre, les habitudes, la profession exercée, impriment leur marque et leur discipline, ne reflètent pas toujours la nature, le caractère réel, les tendances secrètes de l'individu ; mais il est bien rare qu'à un moment ou l'autre ils n'en laissent pas paraître quelque chose...

L'homme auquel Sylvaine devait de vivre encore avait une manie : tout en parlant, d'un geste machinal, il enlevait et remettait les lunettes qui protégeaient ses yeux ; et, dans son regard délivré de l'abri des verres, on découvrait une lueur anxieuse et triste qui s'alliait mal avec le reste de son visage et ses manières et qui faisait penser à un subtil désaccord entre son aspect et ses pensées. Peut-être était-ce seulement la myopie qui donnait cette expression à ses prunelles, mais un jour viendrait où Sylvaine se rappellerait l'impression qui l'effleurait en ce moment : que la force apparente de cet homme, son assurance, masquaient une faiblesse secrète.

— Vous avez été très bon, monsieur, dit-elle, et je ne sais vraiment comment vous remercier.

Il leva ses sourcils gris et touffus.

— Ne me remerciez pas... Je n'ai fait que remplir un devoir de simple et banale humanité.

Avec l'ombre d'un sourire, il ajouta :

— Ce n'était pas un gros effort, de vous ramasser... Vous ne pesez guère lourd! Mais vous pouvez vous vanter de m'avoir fait peur! J'ai bien cru que nous allions être happés tous les deux par le camion...

Il parlait d'une voix au timbre sourd et ses yeux ne quittaient pas la jeune fille. Elle murmura :

— Je suis confuse... Je ne sais vraiment ce qui m'a pris... un étourdissement causé par la chaleur, je suppose...

Elle tenait à cette explication... La fierté ombrageuse issue de son éducation première, et dont elle n'avait pu se défaire, lui faisait redouter qu'on ne devinât la véritable cause de son malaise.

— C'est la première fois que cela m'arrive, conclut-elle.

— L'essentiel est que vous vous en soyez tirée sans mal.

A travers la devanture de l'officine, on voyait, au milieu d'un cercle de badauds, le chauffeur du camion expliquer l'incident à un agent de police accouru et affirmer son innocence avec de grands gestes. Sylvaine regarda l'heure à la pendule encastrée dans le mur, au-dessus de la caisse, et poussa une exclamation.

— Comme il est tard! Il me faut rentrer chez moi!

— Ce n'est guère prudent, dit le pharmacien.

— Oh! je me sens très bien, à présent!

Elle s'efforçait de sourire. Pourtant, elle ressentait plus profondément que jamais sa lassitude et sa faiblesse, et elle envisageait avec épouvante le long trajet à parcourir. A l'abri des verres, les yeux de l'inconnu eurent un perçant coup d'œil.

— Je vous trouve encore bien pâle...

La jeune fille eut un petit rire nerveux, bien proche des larmes.

— Je ne puis cependant rester ici! Ma grand-mère m'attend et doit commencer à s'inquiéter de ne pas me voir arriver.

Elle se levait, oscillant sur ses jambes. Elle rajusta sa coiffure, détira ses vêtements, avec la crainte que son costume n'ait souffert de l'aventure, et respira mieux, soulagée, en constatant qu'il n'avait subi aucun dommage. Elle essayait de dominer sa faiblesse, mais, dans l'effort que lui demandèrent ses simples gestes, elle vacilla, et la sueur mouilla son front. L'inconnu la regardait pensivement. Lui aussi avait compris ce que signifiaient la pâleur, la maigreur de la jeune fille, et une pitié émut son cœur défendu. Il n'était pas coutumier de tels attendrissements. Mais les plus durs ont leurs instants de faiblesse ; et sans doute songerait-il plus tard, avec une amère ironie, aux étranges prolongements de son acte de charité inhabituel.

— Allons, dit-il avec brusquerie, vous n'êtes pas en état de marcher, c'est visible, et le tenter serait de la dernière imprudence. Au bout de quelques mètres, vous iriez encore vous évanouir sous les roues d'un camion d'où je ne serais peut-être pas à même de vous tirer... J'ai ma voiture à proximité. Je vais vous reconduire chez vous...

Le pharmacien servait de l'aspirine à une cliente ; il ne s'occupait plus du sauveteur ni de la rescapée et les laissait poursuivre seuls leur conversation. Sylvaine murmura :

— Je vous remercie, monsieur, mais...

— Mais quoi ?

La jeune fille dit avec gêne :

— Je vous ai déjà assez importuné comme cela.

— Vous ne m'importunez pas... J'ai justement tout mon temps.

Les cils de la jeune fille battaient sur ses prunelles troublées. Elle ne comprenait pas pourquoi, à la pensée de partir avec cet homme à qui elle devait de n'avoir pas péri dans une mort affreuse, elle éprouvait cette crainte, cette angoisse indéfinies... Elle ne pouvait pas savoir que son destin se jouait en cette minute, mais elle le pressentait. Elle avait l'impression qu'en acceptant l'offre de l'inconnu elle s'aventurait sur un chemin dangereux, plein de périls et de surprises ; et son âme

inquiète tremblait devant l'avenir vers lequel
l'entraînait une volonté aux mystérieux desseins...

Moins sensible aux impondérables, l'homme ne
sut pas reconnaître le passage de la fatalité, mais
il remarqua l'hésitation de la jeune fille.

— Auriez-vous peur de moi? demanda-t-il ironiquement.

Il eut un haussement d'épaules.

— Allons, ne soyez pas sotte et ne vous ima-
ginez pas que je veuille vous enlever! J'ai une
fille de votre âge... et un fils plus âgé.

Une faible rougeur monta aux joues de la jeune
fille.

— Oh! je ne pensais à rien de pareil!

— Alors, ne vous faites pas prier davantage.
Où habitez-vous?

— 103, rue de Vaugirard.

— Très bien. Je vais vous y mener.

Sylvaine, cependant, reprenait le contrôle de
ses pensées et de ses sentiments, et elle chassait
cette appréhension qui, véritablement, ne s'expliquait pas. Elle devait au contraire considérer
comme une aubaine cette offre qui lui permettait
d'arriver sans fatigue et plus vite à son domicile
où, depuis un moment, sans doute, Mme Bréal
devait s'impatienter à l'attendre.

Aidée de l'inconnu, elle quitta la pharmacie et
monta dans la longue et puissante voiture rangée
le long du trottoir... Les badauds, appelés chez
eux par l'heure du dîner, s'étaient depuis longtemps
dispersés. Le jour baissait ; avec l'approche du soir,
les rumeurs de la ville s'assourdissaient. Les
points lumineux piquetaient le boulevard ; les
magasins allumaient leurs devantures ; les bocaux
de la pharmacie répandirent des lueurs rouges et
vertes jusque sur la chaussée. L'automobile qui
emportait Sylvaine et son compagnon dut s'arrêter

pour traverser le carrefour ; puis le feu vert
s'alluma, les voitures reprirent leur course, tandis
que celles venant en sens inverse s'immobilisaient
à leur tour, sous la lumière colorée, comme dans
une figure d'un ballet mené par un maître invisible.

CHAPITRE II

Durant quelques minutes, l'automobile roula sans que son conducteur, occupé à se frayer un chemin parmi les autres véhihules, adressât la parole à sa compagne ; mais il dut penser que la politesse l'obligeait à lui parler, et sur un ton d'intérêt banal, il demanda à la jeune fille :

— Lorsque vous est arrivé cet accident, dont j'eus le plaisir de vous tirer, vous rentriez sans doute de votre travail ?

— Non... C'est-à-dire...

Elle hésita, puis expliqua :

— Je suis sans emploi depuis quelques jours et je revenais de faire des démarches pour en trouver.

L'homme hocha la tête. Ces paroles corroboraient ses réflexions ; il était sûr à présent de ne pas se tromper en attribuant à la faim et à la fatigue le malaise de la jeune fille. De sa même voix sourde, sans inflexions, il s'enquit :

— Avez-vous réussi ?

Elle fit un signe de dénégation.

— Non. Il y a peu de places libres, et je ne dispose d'aucune recommandation. Dans ces conditions, il est difficile de trouver un emploi.

— Vous n'avez pas d'amis qui puissent vous aider ?

Ces paroles ne révélaient qu'un banal souci de politesse ; mais la réponse vint, poignante :

— On n'a pas d'amis lorsqu'on a besoin d'aide. Je ne suis pas seule à l'avoir appris...

Il lui jeta un rapide coup d'œil et put voir son geste las, l'inflexion désabusée de ses lèvres.

— Vous êtes bien jeune pour avoir de la vie une expérience aussi amère! s'étonna-t-il.

Elle soupira.

— Il n'y a pas que les années pour donner de l'expérience... il y a le malheur...

Indifférence ou manque de curiosité, le compagnon de Sylvaine ne posa pas d'autres questions ; et la jeune fille, la tête appuyée aux coussins, se laissa aller au bien-être d'être emportée par la souple et confortable voiture. Le temps coula. Les rues défilèrent sans qu'elle s'en rendît compte ; puis l'auto stoppa. Émergeant de la torpeur sans pensées à laquelle elle s'était abandonnée, la jeune fille ouvrit les yeux et reconnut, dressé contre le ciel rose, la haute maison noire où se trouvait son logis.

— Nous voici arrivés, dit l'inconnu.

Il sauta à terre, ouvrit la portière ; dans le geste que fit Sylvaine pour mettre le pied sur le sol, il put voir combien elle était faible encore, et il s'informa :

— A quel étage habitez-vous ?

— Au cinquième.

— Je vous accompagne.

— Je vous assure, monsieur, que je puis fort bien monter seule! s'insurgea la jeune fille. Je vous ai déjà suffisamment ennuyé comme cela!

L'homme ne prit pas garde à la protestation de Sylvaine, et celle-ci dut se laisser prendre le bras.

D'ailleurs, le courage de refuser l'aide offerte
l'avait adandonnée, et ce fut appuyée sur l'inconnu
qu'elle franchit la porte cochère et traversa le vestibule, saturé d'odeurs.

Habitée par de nombreux locataires, la maison
bruissait de rires et de pleurs d'enfants, d'éclats
de voix, de la musique de la T.S.F. branchée à
l'heure du dîner ; derrière chaque porte on devinait
l'euphorie et le débraillé des fins de journées labo-
rieuses. Sylvaine et son compagnon arrivèrent
enfin au cinquième étage ; la jeune fille s'immobilisa, le front couvert d'une sueur de faiblesse,
devant une porte peinte d'une couleur marron.

— C'est ici, dit-elle,

Mais avant qu'elle eût frappé, la porte s'ouvrit,
et par l'entrebâillement Mᵐᵉ Bréal montra sa
frêle personne vêtue de noir, son visage fin qui,
sous les cheveux blancs, rappelait celui de sa
petite fille.

— C'est toi enfin, Sylvaine ! fit-elle. Comme tu
es en retard ! Je commençais à m'inquiéter...

S'apercevant que la jeune fille n'était pas seule,
elle s'interrompit et son regard interrogateur alla
de Sylvaine à son compagnon. Sur un ton qu'elle
s'efforçait de rendre détaché, la jeune fille expliquait :

— J'ai un petit accident, grand-mère.

— Mon Dieu !

— Oh ! rien de grave ! Je ne sais comment cela
s'est produit : j'ai glissé, je suis tombée, sans me
faire aucun mal, heureusement, et Monsieur s'est
trouvé là juste à point pour me ramasser. Il a
même poussé l'obligeance jusqu'à me raccom-
pagner...

En parlant, elle suppliait du regard son compagnon de ne pas insister sur la gravité de l'incident.
Mᵐᵉ Bréal joignait les mains.

— Mon Dieu! gémit-elle. Que deviendrais-je toute seule, s'il t'arrivait malheur, Sylvaine?

Ses yeux s'embuaient. Sylvaine l'embrassa et fit sur un ton de gaîté :

— Allons, il ne faut pas penser à cela... Remercions plutôt Monsieur de sa bonté.

Mme Bréal essuya ses yeux.

— Où ai-je la tête? Excusez-moi, monsieur. Que de reconnaissance nous vous devons! Ne voulez-vous pas entrer un instant vous reposer? Ces étages sont éreintants...

Les mots se suivaient, s'ajoutaient les uns aux autres, se nouaient comme les maillons d'une chaîne... Après une courte hésitation, le sauveur de Sylvaine obéit à l'invitation de la vieille dame, pénétra dans une entrée obscure ; puis il fut introduit dans une pièce étroite, au plafond bas et sale, au papier déteint, maculé de taches. Quelques beaux meubles, mais boiteux, abîmés, sans valeur marchande, la garnissaient et, mieux que des paroles, ils racontaient une longue histoire de douleurs et de déchéances. Mme Bréal offrit un siège au visiteur, en prit un autre, Sylvaine s'assit également car ses jambes fléchissaient. La vieille dame cherchait les éléments d'une entrée en conversation ; rassurée à présent, elle trouvait du plaisir à l'événement qui, pour elle, rompait la monotonie des jours...

Assis sur une frêle bergère, le visiteur paraissait très grand, et plein d'opulence par contraste avec le dénuement de la pièce... Tout en répondant à la vieille dame, il regardait autour de lui. Ses yeux à travers les verres se posaient distraitement sur les meubles et les objets...

Et tout d'un coup, il tressaillit, comme si une main l'eût touché à l'épaule, et brusquement il se pencha pour mieux voir, posé sur une commode boiteuse en bois de rose et marqueterie, un cadre enfermant la photographie d'un couple, aux deux visages rapprochés. Durant quelques secondes encore il laissa Mme Bréal égrener des mots, puis d'un ton dont l'apparente indifférence dissimulait l'intérêt, il prononça :

— Ce portrait est fort bien réalisé, et tout à fait vivant. Les personnes qu'il représente sont sans doute de votre famille ?

Sur les lèvres de la vieille dame, rappelée à ses peines, que le plaisir d'avoir unevisite lui avait fait un instant oublier, le sourire s'effaça. Elle murmura:

— Oui, monsieur.

Elle soupira, mais n'ajouta rien. Ce fut Sylvaine qui compléta le renseignement.

— Ce sont mes parents, monsieur.

— Ah!

Les sourcils froncés, l'inconnu continuait à contempler les photographies. Ne se trompait-il pas? N'était-il pas le jouet d'une illusion? Il y avait quelque chose d'invraisemblable dans ce qu'il imaginait... Selon son tic, il enleva et remit ses lunettes, avant de reprendre, en désignant l'homme du couple photographié :

— Il me semble que je connais ce visage...

Quelques secondes s'écoulèrent avant la réponse.

— C'est... possible, monsieur.

Mme Bréal soupira et parut se tasser davantage sur son siège, tandis que Sylvaine, au contraire, se soulevait de son fauteuil pour dire :

— Je me nomme Sylvaine Bréal, monsieur. Et mon père était Charles Bréal...

Entre leurs longs cils, ses yeux brillaient d'un éclat fiévreux, mais elle ne baissait pas les paupières et il y avait une sorte de défi dans la manière dont elle prononçait ces paroles. Mme Bréal murmura :

— Nous avons connu bien des malheurs, monsieur, bien des malheurs...

Elle s'interrompit, avec un sanglot étouffé, et sa petite-fille, avec un tendre dévouement, vint entourer de ses bras ses maigres épaules... L'homme ne regardait plus le portrait, et il ne demandait rien ; il n'avait pas besoin qu'on lui en dît davantage, il connaissait maintenant toute l'histoire de honte, de douleurs et d'opprobre, que racontaient les quelques beaux meubles qui, posés contre le papier taché, semblaient des épaves surnageant d'un naufrage...

Longtemps le silence régna. L'homme ne bougeait pas plus qu'une statue d'obscur granit, et les deux femmes ne se doutaient pas des sentiments qui l'agitaient, et qu'il s'effrayait de ce que le hasard lui eût tendu ce piège et l'eût mis en face de ce qu'il voulait ignorer : le spectacle de cette misère, la détresse de ces visages... Et il éprouvait le désir forcené de quitter ce logement misérable, d'oublier ces femmes, de retourner bien vite vers son appartement luxueux, son confort, sa quiétude et sa sécurité d'homme riche et considéré.

Il ne voulait pas se laisser émouvoir, tomber dans le piège ; il imprima plus de dureté encore à ses traits et se leva pour prendre congé. Mme Bréal et sa petite-fille se tenaient devant lui, rapprochées ainsi que pour soutenir leur commune faiblesse... Comme elles étaient pitoyables l'une et l'autre ; l'aïeule aux cheveux blancs, aux yeux usés par les larmes, dont la vieillesse ne connaissait pas la sérénité, et la frêle jeune fille à l'émouvante beauté ! Avec l'air de fierté de sa petite tête dressée, son acceptation vaillante de l'adversité, elle faisait penser à une petite citadelle courageuse tenant bon contre le mauvais sort ; mais ses lèvres encore enfantines tremblaient, sa pâleur disait sa fatigue, et peut-être encore ne connaissait-elle pas tous les dangers dont elle aurait à se défendre, et que l'homme mûr n'ignorait pas...

Alors devant la détresse de la vieille femme, le courage et la faiblesse de la jeune fille, il eut honte de sa richesse, de ses beaux vêtements, ce futplus fort que lui, la pitié l'emporta, il oublia sa prudence et son égoïsme...

... Il faut quelquefois brasser beaucoup de terre pour y trouver quelques parcelles d'or ; et dans le cœur des hommes, hélas ! les bons sentiments sont plus rares que les mauvais...

... Au lieu de s'en aller, l'homme revint au milieu de la pièce, et il prononça les paroles qui, en arrière-plan, se formulaient depuis un instant dans sa pensée.

— A propos, mademoiselle Bréal, ne m'aviez-vous pas dit tout à l'heure que vous étiez à la recherche d'une situation pour remplacer celle que vous avez perdue ?

Sylvaine tourna vers lui ses yeux cernés de fatigue où brillait un rayon d'espoir.

— C'est exact, monsieur.

— Il se trouve que... j'ai précisément besoin de quelqu'un... Oui, je suis ingénieur-conseil et dirige un bureau de techniciens, comprenant plusieurs spécialistes, et où je me rends chaque matin. Mais il m'arrive très souvent d'apporter chez moi des dossiers confidentiels afin de les étudier personnellement. Il y a longtemps que je projette d'avoir une secrétaire à mon domicile. Je suppose que vous savez taper à la machine ?

Sylvaine inclina la tête.

— Oui, monsieur, je connais également la sténo et l'anglais.

— Parfait. Il s'agirait de taper des lettres, de classer les dossiers, rien que d'ordinaire. Et il

vous faudrait venir chaque après-midi de deux à
sept heures. Quant aux conditions matérielles,
voici ce que je vous propose...

Il cita un chiffre qui excédait de beaucoup ce
que Sylvaine avait l'habitude de gagner en tra-
vaillant toute la journée. Pourtant, elle ne se hâtait
pas de répondre et sur son visage la joie hésitait à
s'épanouir. Elle avait la méfiance, le scepticisme
de ceux qui se sont trop souvent heurtés à
l'égoïsme, à l'insensibilité, des êtres ; et dans l'en-
chaînement des événements, quelque chose la dérou-
tait, l'empêchait de se réjouir. Un hasard providentiel
voulait-il vraiment que cet homme ait besoin d'une
secrétaire, ou bien la pitié, la charité, le poussaient-
elles à lui offrir cette situation ? Ces sentiments
semblaient bien peu compatibles avec sa personnalité...

Ah! et puis, qu'importait le mobile secret qui
le faisait agir, à supposer qu'il y en eût un! Elle
allait, grâce à cette offre, se trouver délivrée du
lancinant souci du lendemain! Elle ne devait pas
chercher au-delà, ni se montrer ingrate... D'une
voix qui tremblait, elle fit :

— Vous saviez combien il était important
pour moi, et... urgent de trouver du travail... Vous
êtes très généreux, monsieur, et, bien entendu,
j'accepte.

— J'en suis heureux. Pouvez-vous entrer en
fonctions dès demain ?

— Certainement. Je suis entièrement libre.
Et... je ne sais comment vous exprimer ma gratitude, monsieur.

Une curieuse expression déforma la bouche de
l'homme, creusant davantage les deux sillons qui
l'entouraient.

— Ne me remerciez pas, c'est inutile.

Il parlait d'un ton désagréable ; on le devinait

mal à l'aise dans son personnage de bienfaiteur.

— Je suis persuadé, d'ailleurs, que nous nous entendrons bien, et que vous ne serez pas malheureuse auprès de moi.

— J'en suis certaine, monsieur. Et je ferai tous mes efforts pour vous donner satisfaction.

La jeune fille souriait timidement ; tout son jeune visage crispé d'angoisse s'apaisait, une chaude vague d'espoir colorait ses joues.

L'homme s'était levé et se préparait à partir.

— Ah ! j'allais oublier.

Il entrouvrit sa gabardine, chercha dans son porte-cartes, tendit un bristol à Sylvaine.

— Voici mon adresse. A demain.

Il prit congé, sortit. Les deux femmes entendirent son pas puissant décroître dans l'escalier. Échappant alors à l'espèce de charme qui l'immobilisait, Sylvaine regarda la carte de visite qu'elle tenait entre les mains et tressaillit de la tête aux pieds.

— Jérôme Servaize ! lut-elle tout haut.

Elle regarda sa grand-mère et les deux femmes, également pâles, demeurèrent silencieuses. Puis, Mme Bréal répéta, d'une voix étouffée :

— Jérôme Servaize... Quelle étrange coïncidence !

CHAPITRE III

Les rayons du soleil scintillaient sur l'argenterie et les cristaux du couvert dressé, ainsi que sur les glaces, le cuir émeraude des sièges, et les objets d'art, d'un modernisme un peu outré, qui garnissaient la salle à manger des Servaize. Une branche de lilas, placée dans un verre de Venise posé au centre de la table, répandait son odeur printanière dans la pièce où trois personnes échangeaient les paroles languissantes de ceux qui se voyant fréquemment, n'ont plus rien à se dire.

Il y avait là Mme Servaize, son frère, Maxime, et une cousine de Jérôme Servaize, Alix Nadel. Celle-ci, jeune veuve sans fortune, exerçait la profession de céramiste ; elle possédait au parc Montsouris un atelier et un four où elle cuisait ses poteries, mais, n'ayant pas trouvé d'appartement, logeait chez les Servaize. En ce qui concernait Maxime Telmont, il n'habitait pas avec sa sœur et son beau-frère ; il y prenait ses repas, habitude commode qui lui permettait de supprimer les frais de nourriture de son budget. Quant à sa profession, il en changeait souvent, n'aimant guère le travail suivi. On l'avait connu clerc de notaire, courtier en assurances et, pour le moment, ses cartes de visite portaient : agent d'affaires.

— Jérôme est en retard, observa-t-il, en regardant son bracelet-montre. Cela n'arrive pas souvent à ce modèle des maris... et des beaux-frères!

Une moquerie, une arrière-pensée semblaient toujours se cacher dans ses propos.

— C'est plutôt rare, en effet, reconnut Mme Servaize. Jérôme a la passion de l'exactitude. Mona n'arrive pas non plus ; mais elle, c'est quotidien...

Elle parlait sans qu'un frémissement agitât son visage marmoréen, ni qu'une lueur d'inquiétude troublât ses grands yeux, un peu à fleur de tête. Le frère et la sœur ne se ressemblaient pas. Alors que Cécile Servaize éblouissait par une beauté, à peine touchée par la quarantaine dépassée, de brune aux yeux bleus, à la carnation éclatante, aux belles lignes un peu lourdes, Maxime apparaissait fort laid, avec un corps maigre, surmonté par une petite tête aux cheveux roux déjà clairsemés, bien qu'il n'eût guère que trente-cinq ans. Des tics parcouraient son visage osseux aux paupières plissées et rouges d'alcoolique. Mais dans ses yeux habituellement mornes, un éclair parfois s'allumait, indiquant une intelligence au-dessus de la moyenne, un esprit vif et rusé ; tandis que le beau visage plein de sa sœur, ses yeux sans expression, dénotaient des facultés intellectuelles réduites et uniquement portées vers les futilités. Pour le moment, elle examinait la toilette d'Alix d'un œil critique et envieux.

— Je ne vous connaissais pas ce foulard, Alix, remarqua-t-elle.

Elle désignait une écharpe de soie verte, décorée de motifs rouges et noirs, que la jeune femme portait glissée dans l'échancrure de sa robe noire.

— C'est une nouvelle acquisition?

Alix écrasa dans un cendrier la cigarette qu'elle avait allumée pour tromper l'attente et expliqua négligemment :

— Oui. Je me suis offert ce caprice, ayant vendu hier une série de pichets, les moins bien venus de l'atelier, à des Américains de passage.

Laide, Alix Nadel avait réussi, à force d'intelligence, à tirer parti de ses traits ingrats et sans fraîcheur. Une coiffure sans doute adoptée après de longues stations devant le miroir envoyait en arrière ses cheveux châtains auxquels un henné discret ajoutait un reflet roux, dégageant son front haut, bien modelé, qui était sa seule beauté. Ses sourcils dessinaient une ligne droite au-dessus de ses yeux petits et enfoncés, à la teinte indécise ; et sa bouche, longue, violemment soulignée de rouge, barrait le visage plat et assez large. Cette figure n'attirait pas la sympathie, mais elle retenait l'attention. Alix parlait peu ; elle s'habillait d'une manière sobre et originale et Mme Servaize, qui dépensait beaucoup d'argent chez les couturiers en renom, s'étonnait qu'elle fût toujours d'une élégance parfaite, tout en disposant de maigres ressources.

... La porte poussée brusquement livra passage à une sorte de tourbillon qui, s'immobilisant au milieu de la pièce, se révéla être une jeune fille de dix-huit à vingt ans. La coupe masculine de son costume de cheval mettait en valeur sa silhouette harmonieuse dans sa petite taille ; et ses cheveux noirs frisaient autour de son visage rond, au teint vif, qui rappelait celui de Mme Servaize sans en avoir toutefois la régularité de traits.

— Papa n'est pas encore là ? demanda celle qui venait de faire cette entrée impétueuse.

— Non.

La jeune fille poussa un soupir de soulagement.

— Quelle veine! Sans cela, je ne coupais pas au sermon...

Elle rit, fit une pirouette... Les rayons du soleil paraissaient converger sur elle, et on eût dit qu'un bruissement d'ailes accompagnait chacun de ses gestes. Ses yeux avaient cet éclat limpide, ses joues ce duvet, son rire cet éclat joyeux des êtres pour lesquels la vie s'est montrée clémente ; et tant de grâce parait ses gestes que les regards s'adoucissaient d'indulgence en se posant sur elle.

— Que faisais-tu donc pour oublier l'heure? s'enquit Mme Servaize.

— Oh! rien. J'ai fait un galop avec Janine Marray, qui se tient en selle à peu près comme un singe de cirque!

Elle eut une petite hésitation, ses cils battirent sur ses prunelles dorées.

— Il y avait avec nous Étienne d'Amblemont...

— Étienne d'Amblemont? répéta Mme Servaize avec onction.

Une lueur sarcastique s'alluma dans les yeux mornes de Maxime.

— Oh! alors, dit-il, le retard de Mona s'explique! Le bel Étienne sait monter à cheval, lui... et aussi parler aux jeunes filles!

Mona rougit et détourna la tête avec une moue, et Mme Servaize fit d'un ton mécontent :

— Tu es insupportable, Maxime. Pourquoi taquiner toujours Mona?

Il haussa les épaules.

— Tenez, vous m'amusez toutes les deux! Toi, ma chère sœur, tu es complètement aveuglée par la vanité et le snobisme ; quand tu prononces le nom d'Étienne d'Amblemont, on croirait que tu suces une friandise!

Il eut un rire bas et grinçant.

— Mais c'est une erreur de croire que le bel Étienne épousera Mona ; votre train de vie l'illusionne et il croit piper la belle dot ; mais quand il s'apercevra de ce qu'il en est, il vous tirera sa révérence! Il est parfaitement inutile de faire des frais de toilette et de réceptions pour lui... C'est de l'argent perdu!

Cécile Servaize regarda son frère avec colère.

— Tu préfères soutirer toi-même l'argent de Jérôme, n'est-ce pas ?

Un bruit de pas la fit s'interrompre.

— Voilà Jérôme, dit-elle.

Le frère et la sœur pouvaient en effet se disputer. Un accord tacite les faisait toujours cacher leurs dissentiments à M. Servaize. Mais ils étaient trop échauffés l'un et l'autre par leur récente escarmouche pour remarquer l'air contraint et préoccupé de celui-ci. Après avoir caressé les cheveux de sa fille, dont le visage assombri par les réflexions de Maxime s'éclaira pour lui sourire, et expliqué que son retard était dû à un encombrement de voitures, il fit, d'un ton délibéré qui cachait sa gêne:

— Décidément, la circulation devient impossible. Ces allées et venues pour me rendre à mon bureau me font perdre un temps précieux et sont en outre harassantes. J'ai décidé de travailler dorénavant ici les après-midi. J'ai apporté quelques dossiers parmi les plus pressés et engagé une secrétaire à cet usage.

L'indifférence de Mme Servaize n'avait pas jusqu'à présent remarqué l'air contraint de son mari ; elle le remarqua à ce moment. Sans la regarder, M. Servaize poursuivait :

— Elle viendra tous les jours de deux à sept heures, et doit commencer tout à l'heure.

Mme Servaize levait avec stupeur ses beaux sourcils à la courbe parfaite.

— Une secrétaire... ici ?

— Oui.

— Cette idée vous est venue tout d'un coup ?

— A vrai dire... j'y pensais depuis un certain temps déjà... Et puis, je me suis décidé hier soir, brusquement. Je n'ai pu vous en parler, car vous dîniez en ville et ce matin, à mon départ pour le bureau, vous dormiez encore.

Il expliqua :

— J'ai beaucoup de travail en ce moment... des études que je dois faire moi-même ; c'est une fatigue et une perte de temps pour moi que de retourner au bureau. Vous avez pu le constater tout à l'heure. L'arrangement que j'ai pris supprime les déplacements et m'évite de la peine. Je suis assez mal en train ces jours-ci...

Mme Servaize haussa les épaules.

— Vous êtes bâti à chaux et à sable, et vous vous plaignez toujours !

D'une voix à laquelle l'irritation donnait des intonations vulgaires, elle poursuivait :

— Et je trouve... inconcevable que vous ayez pris la décision d'introduire quelqu'un ici sans me demander mon avis ! L'appartement n'est pas conçu pour cela : les pièces, vous le savez, communiquent entre elles... et on ne peut tout fermer... Il est extrêmement gênant d'avoir chez soi quelqu'un que l'on ne connaît pas !

Maxime regarda sa sœur d'un air railleur.

— Tu crains pour tes petites cuillers, Cécile ?

Insensible à la moquerie, elle fit :

— Pourquoi pas ? C'est ainsi que l'on se fait voler !

Jérôme Servaize eut un sourire crispé.

— Je puis vous assurer, Cécile, que votre argenterie ne risque rien !

Cependant, Mona s'approchait de son père.

Elle avait déjà oublié les aigres remarques de son
oncle concernant Étienne d'Amblemont ; les soucis glissaient sur elle comme la rosée sur un pétale.
Elle prononça d'un ton raisonnable :

— Moi, je trouve que vous avez parfaitement
raison, papa dit-elle. Il faut vous faire aider.

Jérôme Servaize eut un sourire qui se voulait
joyeux et n'était qu'ironique.

— Afin de gagner beaucop d'argent pour offrir
de jolies robes à ma fille Mona, n'est-ce pas, et lui
permettre de faire de l'équitation au Bois ?

— Mais certainement, dit Mona. N'est-ce pas
tout naturel ?

Elle sourit, cligna des yeux dans le rayon de
soleil qui semblait l'avoir élue et, appuyant sa
tête contre l'épaule de son père, ajouta d'un air
câlin :

— Et au fond, n'êtes-vous pas très fier de nous
voir toujours parmi les plus élégantes, maman
et moi ?

Le regard las de l'homme se posa sur la charmante figure rose de Mona, puis sur le beau visage
bien fardé de sa femme, et il fit :

— Très fier.

— Maintenant, répondez-moi franchement...

Mona fronçait le nez et levait un doigt.

— Votre nouvelle secrétaire est-elle sympathique ? A-t-elle le genre personne-capable-et-
modeste-à-lorgnons, ou le genre pin-up ?

— Mon Dieu... ni l'un ni l'autre...

M. Servaize parlait avec hésitation.

— C'est une jeune fille parfaitement convenable pour laquelle la vie a été dure... très dure.
Ayant sa grand-mère à sa charge, elle a grand
besoin de travailler.

— Oh! mais alors, vous avez bien fait de l'en-
gager, papa, approuva Mona.

— C'est-à-dire que, à cause de sa situation
particulièrement difficile, je l'ai prise de préférence à une autre.

Mme Servaize esquissait une moue méprisante.

— Vous donnez dans la philanthropie maintenant. Je ne vous connaissais pas sous ce jour...

Il la regarda quelques secondes à travers ses
lunettes avant de répondre lentement :

— Me connaissez-vous, Cécile ? Vous êtes-vous
jamais donné la peine de chercher à savoir ce
qu'il y a dans mon âme et mes pensées ?... Non,
n'est-ce pas ?

Il soupira et poursuivit d'une voix sourde :

— D'ailleurs... l'on se connaît fort mal soi-
même... On se croit bien tranquille, on oublie,
on s'efforce d'oublier ce qui vous gêne, et puis
une circonstance fortuite vous le rappelle... Et
c'est une chose pénible de se trouver en face du
spectacle de la misère... surtout lorsqu'on la sait
imméritée... injuste...

Il s'interrompit, au bord d'autres paroles, et
reprit :

— Car il y a une injustice que certains aient
la richesse... les plaisirs de l'existence, alors que
d'autres manquent du nécessaire... Et... il faut
se montrer bon... quand l'occasion s'en présente,
pour racheter les fautes... les erreurs... du sort...

Maxime l'avait écouté, les sourcils froncés.
Quand il eut terminé, il émit un petit sifflement.

— Vous parlez comme un livre, mon cher ;
non, comme au prêche, en période de carême. Ça
vous prend souvent ces petits accès de philosophie ?

— C'est la première fois, heureusement ! dit
Mme Servaize. A l'avenir, Jérôme, vous pourrez
vous en dispenser...

Jérôme Servaize eut un drôle de sourire, qui
creusa profondément les plis de ses joues.

— Excusez-moi, cela m'a échappé... J'aurais
dû savoir que cela ne vous concernait pas.

Elle le regarda avec irritation.

— Vous êtes vraiment bizarre, aujourd'hui,
Jérôme, ce qui ne veut pas dire drôle! Je ne sais
pas quelle mouche vous a piqué, mais elle a mordu
fort! Enfin, je suppose qu'il faut en passer par
votre lubie de travailler et d'avoir une autre
secrétaire ici, sous peine de vous entendre récri-
miner et gémir... L'essentiel est que votre employée
soit honnête et se tienne à sa place... Comment
se nomme-t-elle?

Quelques secondes s'écoulèrent avant que vînt
la réponse... M. Servaize prit une profonde inspiration, comme si pour prononcer ce nom il
lui fallait tout son courage.

— Cette jeune fille se nomme Sylvaine Bréal.

— Joli nom, estima Mona de sa voix légère où
toujours semblait trembler un rire.

Ce fut tout. Mme Servaize ne fit pas de réflexion.
Manifestement ce nom ne lui disait rien. Dans
son esprit futile, elle cherchait quelle robe ou
quel bijou elle demanderait à son mari en compen-
sation de ce qu'elle considérait comme un manque
d'égards. Mais Maxime, à l'énoncé du nom de la
nouvelle secrétaire de son beau-frère, avait eu
un sursaut ; puis son regard s'était posé, étrangement appuyé, sur Jérôme Servaize. Quant à Alix,
qui se tenait à l'écart sans prendre part à la conversation, elle continua à frotter ses ongles d'un
air détaché, ses yeux sans couleur effleurant les
deux hommes l'un après l'autre ; puis, lentement,
elle se rapprocha de Maxime. Et en les voyant
ainsi l'un près de l'autre, on éprouvait l'impression
singulière qu'ils se ressemblaient, et qu'une zone
les isolait des autres.

Mona chantonnait en arrangeant les branches

de lilas du surtout, et s'efforçait de voir son reflet
dans une glace surmontant un bahut. Après
quelques instants, M. Servaize demanda lentement :

— Toujours pas de lettres... d'Hervé ?

Mme Servaize secoua la tête.

— Non.

— Un mois sans nouvelles! Cela commence à
devenir inquiétant... soupira M. Servaize.

Le silence à nouveau tomba. Le visage de celui
qu'on venait d'évoquer et qui se battait, là-bas,
dans les Aurès, fut présent dans toutes les pensées. Mona s'était arrêtée de chantonner, sa claire
figure tout attristée. Quant à Mme Servaize, si ses
traits n'exprimaient rien, c'est qu'elle n'éprouvait rien. Elle avait trop peu d'imagination pour
que la guerre représentât quelque chose à ses
yeux ; et ses disponibilité affectives, assez faibles,
ne lui permettaient pas de s'émouvoir outre
mesure du sort de ce fils issu d'un premier mariage
de son mari.

— Bah! simple retard de courrier! estima
Maxime de sa voix traînante. Vous aurez bientôt
un lettre de votre militaire... A moins qu'il ne
vous tombe dessus sans crier gare...

— Si cela pouvait arriver!

— Pourquoi pas? Cela s'est produit récemment... En attendant, acheva Maxime, nous ferions
bien de passer à table. Je me sens un excellent
appétit ; ce doit être d'avoir abordé tout à l'heure
des sujets élevés qui m'a creusé l'estomac...

*
* *

Quand le repas, au cours duquel le regard
attentif et perspicace d'Alix se posa à plusieurs
reprises sur M. Servaize, fut terminé, celui-ci

gagna son bureau. Malgré les efforts conjugués
de sa femme et de sa fille entichées de modernisme, et leurs railleries, il n'avait jamais voulu
en changer l'ameublement qui datait de son
premier mariage. On y voyait une table bureau
et des bibliothèques de chêne foncé, ainsi que des
fauteuils de cuir repoussé à hauts dossiers, ce que
Mona appelait des « guérites » ; une tapisserie
moyenâgeuse décorait les murs.

En entrant, M. Servaize se dirigea vers un
cadre dans lequel une photographie représentait
un beau visage sur lequel la sévérité des traits
s'alliait à l'extrême séduction du sourire : celui
d'un jeune homme de vingt-cinq à vingt-huit
ans, en uniforme de lieutenant.

... Hervé... son fils...

Il l'aimait d'une manière différente que Mona,
avec une tendresse fière et poignante... Car son
fils aîné était tout ce qui lui restait de sa première
femme, douce créature épousée à l'aube de sa vie,
et dont la mort, après deux ans de radieux bonheur
l'avait désespéré au point qu'il songeait au suicide.

Cependant, il s'était remarié, quelques années
plus tard, pris de passion pour cette belle Cécile
Telmont, de douze ans sa cadette, et qui l'épou-
sait uniquement parce que trop dépensière pour
les moyens de ses parents, et ayant manqué plusieurs mariages, elle ne trouvait plus d'épouseurs
dans sa petite ville de province... Aujourd'hui,
il savait à quoi s'en tenir sur ses sentiments
envers lui, il connaissait son égoïsme, son peu
d'intelligence, son avidité que rien ne contentait ;
pourtant il l'aimait encore. Mais, parce que le cœur
est un étrange amalgame, il regrettait toujours sa
première femme. Comme sa vie eût été différente
si elle avait vécu! Certaines amours élèvent, d'au-

tres abaissent... Ah! il n'eût pas dû survivre à son premier amour!...

Il soupira, et ses yeux un instant détournés se portèrent à nouveau sur le portrait de son fils. Et voici qu'une association d'idées lui présenta brusquement à l'esprit les deux effigies contemplées la veille dans le triste logement des dames Bréal ; puis ce fut le visage de Sylvaine qui se dessina devant ses yeux ; pâle figure de souffrance aux grands yeux tristes... Brusquement, il lui vint à l'esprit que les deux images qui en ce moment partageaient ses pensées, celles de son fils et de la jeune fille, l'image de son inquiétude, et celle de ses remords, se rejoignaient, liées par un lien occulte. Et il éprouva de ce rapprochement quelque chose comme une peur...

En entendant la porte s'ouvrir, il se retourna.

— Ah! c'est vous, Maxime!

Sa voix ne trahissait aucun plaisir, bien au contraire. Sans se préoccuper du manque d'enthousiasme de cet accueil, Maxime choisissait une cigarette dans un coffret, l'allumait, puis s'asseyait dans un des fauteuils, tirant soigneusement son pantalon pour éviter le bosselage des genoux. Il fit une grimace et soupira :

— Quand donc vous déciderez-vous à acheter des fauteuils confortables, Jérôme! Ceux-là vous rabotent positivement l'échine!

Il tira quelques bouffées de sa cigarette et reprit :

— Parlons sérieusement. Que signifie cette histoire ridicule ? Vous avez vraiment engagé Sylvaine Bréal comme secrétaire ?

— Oui.

Maxime fit claquer ses doigts.

— Mais, c'est idiot!

— Peut-être.

Maxime considéra M. Servaize en silence. Celui-

ci offrait à l'attention de son interlocuteur un
visage obscur et fermé. Maxime fronça les sourcils
et demanda :

— D'abord... comment l'avez-vous rencontrée ?

M. Servaize eut un geste vague.

— Le hasard...

Il prit place derrière le bureau, et les bras croisés, le buste un peu penché en avant, selon une
attitude familière, il expliqua :

— Oui, je l'ai rencontrée par un de ces hasards
comme il s'en produit quelquefois... Imaginez-
vous qu'elle s'est trouvée mal à mes pieds — de
faiblesse ou de faim, je pense. Pour éviter qu'elle
ne soit réduite en bouillie par un camion, je l'ai
ramassée.

Il murmura, se rappelant le poids infime qui
pesait si peu à ses bras puissants :

— Elle était si légère... Je ne savais pas son
nom, alors...

Maxime hocha la tête. Son visage se détachait,
plus ravagé, plus fourbe et plus laid sur le fond
sombre du cuir. Il murmura, frappé malgré lui :

— Incroyable...

Pour une fois, son intelligence lui refusait
d'autres mots.

— N'est-ce pas ?

Après une courte pause, M. Servaize continua :

— Je l'ai ensuite reconduite à son domicile,
et c'est ainsi que j'ai appris qui elle était. Sa
grand-mère et elle sont dans une misère sordide ;
la jeune fille venait de perdre son emploi et en
cherchait un autre... cela m'a fait... pitié!

On entendait, venant du salon, où Mona faisait marcher le pick-up, un air de musique dansante, qui évoquait des couples tournoyant joyeu-
sement, toute la gaîté et le plaisir des bals, et
qui semblait un accompagnement dérisoire aux

paroles qui s'échangeaient. Maxime fit une moue.

— La pitié est une faiblesse, Jérôme. D'ailleurs, vous pouviez la satisfaire à meilleur compte en laissant quelques billets à ces deux femmes. Il n'était pas besoin de vous encombrer de la petite Bréal!... Vous avez agi inconsidérément... Vous risquez de le regretter...

La main de M. Servaize s'appuya fortement sur le buvard de cuir de son bureau.

— Si, après l'avoir vue si pitoyable, j'avais abandonné cette jeune fille, son visage m'eût poursuivi, dit-il.

Maxime envoya rouler d'une chiquenaude une poussière imaginaire sur la manche de son veston et remarqua d'un ton amusé :

— Comme vous êtes sentimental, Jérôme! Cela m'étonne... On ne croirait jamais cela à vous voir! Mais vous devriez vous méfier ; vous risquez d'en éprouver des ennuis, si vous n'y prenez garde. Cela ne nous a pas si bien réussi avec ma sœur : elle vous mène par le bout du nez et dépense tout ce que vous gagnez. Elle ne mérite tout de même pas que vous l'aimiez à ce point... Elle est belle, d'accord, mais sa bêtise est plutôt fatigante... Incroyable que le même sang coule dans nos veines!

Il secoua la cendre de sa cigarette dans un cendrier et reprit :

— Oui, croyez-moi, c'est une erreur de faire du sentiment. Prenez exemple sur moi : je suis plutôt fluet d'aspect, et de petite santé ; mais je suis plus fort que vous, je vous domine, parce que je suis insensible... La vie appartient à ceux qui n'aiment personne...

Il le croyait ; il ne pouvait prévoir que cette invulnérabilité dont il se glorifiait lui serait enlevée, dans quelques minutes, par la seule vue d'un

doux visage de jeune fille. Car l'amour est de
toutes choses la plus imprévisible... Jérôme tam-
bourinait des doigts sur le bureau sans dissimuler
son impatience.

— Est-ce tout ce que vous avez à me dire? Je
suis pressé!

Maxime regarda son beau-frère d'un air de
reproche.

— Vous n'êtes pas aimable, Jérôme. Vous me
faites clairement comprendre que vous n'éprouvez
aucun agrément en ma compagnie. Pour une
fois que je ne vous demande pas d'argent, vous
devriez m'être reconnaissant! On croirait vraiment
qu'il n'y a entre nous aucune amitié.

Entre leurs paupières plissées, ses yeux brillaient d'une ironie féroce. C'en fut trop pour Jérôme
Servaize, dont les veines du front se gonflèrent
de colère. Il se leva brusquement.

— Allez au diable, avec votre amitié!

L'autre eut son rire las et grinçant.

— Vous seriez trop content!

Il le regarda en souriant, puis de son ton traînant reprit :

— Allons, calmez-vous. A quoi cela sert-il de
se fâcher? Ne sommes-nous pas liés par quelque
chose de plus solide que l'amitié? Vous avez choisi
votre voie comme j'ai choisi la mienne : il n'y a pas
à y revenir. C'est pourquoi je trouve les scrupules
inutiles et les bonnes actions parfaitement niaises.

M. Servaize s'était laissé retomber sur son
siège.

— Je vous envoyais au diable, je me trompais,
dit-il lentement. Vous êtes le démon lui-même...

Et il évoquait une idée moyenâgeuse d'envoû-
tement, de possession...

— Vous me flattez, mon cher. Je suis simplement un garçon intelligent, adroit, et qui tire du

mieux possible parti de ses dons et des occasions oeffrtes.

La tête de M. Servaize s'affaissa un peu plus sur sa poitrine ; il demeura quelques instants sans rien dire, puis il murmura :

— Partez, Maxime, Mlle Bréal va maintenant arriver d'une minute à l'autre.

L'autre se carra plus profondément dans son fauteuil.

— J'ai justement le plus vif désir de voir à quoi ressemble cette intéressante jeune personne, dit-il.

... Lorsque Sylvaine, introduite par un domestique, pénétra dans le bureau, l'attitude des deux hommes était normale, et la jeune fille devait longtemps ignorer les profonds remous suscités par sa venue ; mais cependant, les paroles prononcées, et peut-être plus encore les pensées non exprimées, laissaient sur leurs traits un sillage inquiétant qui la fit s'arrêter sur le seuil de la pièce...

CHAPITRE IV

— Entrez donc, mademoiselle, je vous attendais, prononça M. Servaize.

Mince et fragile dans son costume gris, la jeune fille avança jusqu'au bureau derrière lequel se tenait le maître de céans. Il y eut un silence bizarre, fait d'attente et de curiosité. Puis Jérôme Servaize, se levant, présenta :

— Mon beau-frère, Maxime Telmont.

Dépliant son long corps osseux, Maxime s'inclinait devant la jeune fille, posant sur elle le regard de ses yeux mornes qui, brusquement, s'allumèrent ; le sourire ironique, fixé d'une manière presque immuable sur ses lèvres, s'effaça et il tressaillit comme s'il venait d'éprouver un choc. Sans retenue, avec avidité, il se mit à regarder Sylvaine, détaillant chacun des traits de son visage et, sous cet examen, la jeune fille se détournait, gênée. Le beau-frère de M. Servaize avait une façon de la regarder qui la choquait et l'irritait. Elle n'aimait pas que les hommes eussent pour elle de tels regards.

Cependant, Jérôme Servaize donnait à la jeune fille des instructions et des explications concernant son travail, ouvrait des dossiers, proposait un emplacement pour la machine à écrire...

— Je crois qu'ici le jour est bon...

Ils ne s'occupaient plus de Maxime, et celui-ci sentant que sa présence sans cause risquait de le rendre ridicule prit le parti de s'en aller.

— Je vous laisse travailler, dit-il.

Une fois hors du cabinet de travail, il se dirigea vers le salon, qu'il savait désert à cette heure, sa sœur et sa nièce étant sorties dès le déjeuner fini et, se laissant tomber dans un des profonds fauteuils de cuir vert qui meublaient la pièce, il se prit à réfléchir. Il éprouvait le besoin de se ressaisir ; jamais il n'avait éprouvé rien de pareil; il se trouvait comme un homme transporté subitement sur une terre inconnue et qui se demande ce qui lui est arrivé...

Ainsi qu'il l'affirmait à son beau-frère quelques minutes plus tôt, il ignorait l'amour et se croyait incapable d'en ressentir et encore moins d'être victime d'un coup de foudre. Quelqu'un qui lui eût dit que lui, Maxime Telmont, s'éprendrait ainsi d'une femme ; et pis, d'une jeune fille, et de Sylvaine Bréal, l'eût fait rire aux éclats. Pourtant, cela venait de lui arriver. Qui peut prévoir, comprendre, expliquer ? Les hommes les moins préparés à l'amour sont frappés comme les autres... Voici qu'il connaissait à présent ce trouble, cette émotion qui renversent les échafaudages les mieux construits...

Et parce qu'il ne concevait pas que quelque chose qu'il désirait violemment pût lui échapper, il décréta en lui-même :

« Elle sera ma femme. »

... Le temps si beau, si lumineux le matin, s'était brouillé ; une giboulée fouettait les baies vitrées du salon, l'humidité ternissait les miroirs et le

vernis brillant des meubles. Il y avait de grandes
rafales de vent qui arrachaient les jeunes feuilles
et, se glissant par les fentes des fenêtres, soulevaient les légers vitrages de nylon, comme si la
nature se fût révoltée à ces paroles... Mais Maxime
n'entendait pas ce que criait la voix coléreuse du
vent, ce que répétait le chuchotement effrayé de
la pluie...

La pensée d'épouser Sylvaine Bréal n'évoquait
en lui aucune crainte, aucune horreur, aucune
notion de péril...

***

... Les premières semaines pour Sylvaine s'écoulèrent calmement. M. Servaize se montrait un
patron courtois et peu exigeant ; en outre, il
était très souvent absent, laissant la jeune fille
organiser son travail à sa guise, et celle-ci s'efforçait de lui donner satisfaction et de remplir
de son mieux les tâches qu'il lui confiait.

Dès le premier jour, Mme Servaize avait tenu
à faire la connaissance de la secrétaire de son
mari. Après l'avoir dévisagée curieusement,
comme un objet dont on suspecte la valeur, elle
daigna reconnaître que Sylvaine paraissait cor-
recte et bien élevée ; et qu'autant qu'on pouvait
en juger sa présence ne mettait pas l'argenterie
en danger...

Lorsqu'elle croisait la jeune fille dans le hall,
elle répondait à son salut par un : « Bonjour,
mademoiselle Sylvaine » prononcé sur un ton
condescendant par lequel elle entendait marquer
la distance sociale qui la séparait d'une employée.
En revanche, Mona se montrait envers Sylvaine
d'une cordialité familière et sans arrière-pensées.
Sa sympathie n'eût pas demandé mieux que de se

convertir en amitié ; mais tant de douleurs et de
déceptions avaient accablé Sylvaine, glaçant en
elle les élans de la jeunesse, qu'elle n'osait se livrer
et ne répondait qu'avec réticence aux avances de
Mona. Clle-ci ne se décourageait pas ; douée d'un
heureux caractère et d'un naturel optimisme,
elle attendait simplement que sa gentillesse eût
fait fondre la froideur de celle dont elle eût voulu
devenir l'amie...

Parfois, vêtue de rose ou de vert, qui étaient
les teintes en vogue en ce printemps, fredonnant
une chanson à la mode elle entrait dans le cabinet
de travail où Sylvaine tapait à la machine quelque
rapport ; elle s'asseyait sur le bord d'une des « guérites » et elle se mettait à babiller de mille riens...
S'interrompant au milieu de la description d'une
toilette, elle s'exclamait :

— Comme vous êtes jolie, Sylvaine, la tête ainsi
penchée! C'est prodigieux d'avoir des cils aussi
longs... Vous êtes la plus jolie fille que je connaisse!

Sylvaine souriait.

— Vous exagérez!

— Non, je vous assure. Et je trouve surprenant
que vous en fassiez si peu de cas et ne soyez pas
plus coquette... Je dois vous sembler terriblement
frivole, n'est-ce pas! Je m'en veux, d'être ainsi ;
je me promets de changer... Mais c'est trop difficile!

Elle soupirait, comiquement :

— Et je vous admire de travailler... Le courage
est ce que je trouve de plus formidable chez les
autres, probablement parce que j'en suis dépourvue...

Elle se laissait glisser à terre, faisait quelques
pas... Elle avait des mouvements d'oiseau, une
attendrissante candeur d'enfant, ignorant les
tristesses et les laideurs de la vie... Sylvaine se

sentait de beaucoup son aînée... Il lui semblait qu'il y avait très longtemps qu'elle était comme Mona une fillette enjouée, pleine de confiance et d'espoir, et cela ne faisait que quelques années...

— Votre vie se déroule autrement que la mienne, soupira-t-elle doucement. Pour moi, le courage est indispensable, il faut que je gagne ma vie et celle de ma grand-mère.

Mona inclinait sa tête brune.

— Oui, je sais. Papa m'a dit que vous viviez seule avec votre grand-mère.

— Oui.

— Vous n'avez pas d'autres parents?

... Il y avait, dans la cour sur laquelle donnait le bureau, un grand marronnier placé au milieu d'une étroite pelouse... Un sanglot parut s'élever de ses profondes ramures tandis que Sylvaine répondait d'une voix sourde :

— Ma mère est morte... il y a trois ans...

Elle baissa la tête ; un rayon de soleil, glissant par la fenêtre, mit une lueur d'argent sur ses cheveux cendrés et accentua le tremblement de ses lèvres...

— Comme je vous plains! dit Mona. Et votre père est mort aussi, sans doute?

Trop rapide pour qu'elle pût la retenir, vint la réponse que Sylvaine regretta aussitôt :

— Non, il est vivant...

Les yeux clairs de Mona s'étonnèrent.

— Et il n'habite pas avec vous?

De pâle qu'elle était, Sylvaine pâlit encore.

— Non... Il est... au loin. Oui, à l'étranger pour de longs mois encore... peut-être des années...

Elle détourna les yeux. Il y avait quelque chose de mystérieux, de réticent, dans ces paroles et la manière dont elles étaient prononcées... Mona attendit vainement un complément d'information... Sylvaine se tut. Et l'esprit de Mona se mit à travailler, cherchant une explication à ce silence, à ces paroles. Que signifiait cet éloignement du père de Sylvaine? Peut-être avait-il abandonné les siens? Ou son absence serait-elle due à une maladie... qui exigeait son séjour dans une maison de santé? Pourquoi, dans ce cas, Sylvaine le dissimulait-elle? A moins qu'il ne s'agît de la plus terrible des maladies, celle que l'on cache : la folie! C'était l'explication la plus plausible, la plus affreuse aussi... Mona fut certaine d'avoir deviné la vérité et de connaître les raisons de la tristesse qui répandait son ombre sur le visage de celle dont elle eût voulu devenir l'amie, et dont elle comprenait mieux la méfiance ombrageuse. Avec une délicatesse de cœur qu'on n'eût pas supposée chez cette petite créature légère, elle ne dit rien à ses parents de ce qu'elle soupçonnait et évita, devant Sylvaine, tout ce qui pouvait ressembler à une allusion.

Alix Nadel était rarement chez les Servaize aux heures où Sylvaine s'y trouvait ; celle-ci eut toutefois l'occasion de la rencontrer à diverses reprises. L'impassibilité du visage de la jeune veuve, le silence qu'elle observait généralement, la rendaient difficile à juger et ne laissaient pas davantage présumer de ses impressions.

Quant à Maxime Telmont, Sylvaine le voyait beaucoup trop, à son gré. Il venait souvent dans le cabinet de travail, de préférence lorsque Jérôme Servaize n'y était pas et qu'une des mondanités suivies assidûment par Mme Servaize et sa fille les tenait au-dehors. Il offrait à la jeune secrétaire une cigarette que, généralement, elle refusait ; s'approchait de la bibliothèque pour regarder les livres dont il connaissait les titres par cœur ; s'asseyait quelques instants sur une des « guéri-

tes », puis partait après quelques paroles banales.
Ces visites trop fréquentes inquiétaient Sylvaine.
Elle les supportait cependant avec patience, car
elle avait remarqué l'influence de Maxime sur
son beau-frère ; obsédée par la crainte de perdre
son emploi, elle craignait qu'il ne lui fît du tort
auprès de M. Servaize.

... Il régnait en effet dans la famille Servaize
une atmosphère singulière qui avait tout de suite
saisi la jeune fille, atmosphère due aux différences
de caractères qui opposaient curieusement la
frivolité de Mme Servaize à l'humeur sombre de
Jérôme Servaize, et la visible indifférence de Cécile
à l'égard de son mari, ainsi qu'à l'autorité inex-
plicable exercée sur son beau-frère par Maxime
et l'inquiétante personnalité de ce dernier. Le
regard morne de Maxime pesait comme un malé-
fice que la gaieté de Mona ne parvenait pas à
dénouer. Et parfois l'enfant, étonnée, arrêtait
son rire, comme effleurée par le passage d'un vent
froid que Cécile Servaize, trop vulgaire, ne perce-
vait pas. Et la présence silencieuse d'Alix Nadel
était celle d'un témoin vigilant et sournois.

Sylvaine avait par moments l'impression de
se trouver non pas à Paris, dans un appartement
muni de tout le confort, aux meubles très modernes, mais dans un château hanté...

Pourtant, les grandes surfaces lisses des murs,
les meubles de bois brillants aux lignes rigides,
n'offraient aucune ombre où des fantômes pussent
se réfugier. On ne les voyait pas errer autour des
gros fauteuils de chintz vert, des bahuts de bois
ocellé, des guéridons de métal au-dessus de verre
gravé...

Mais les fantômes n'ont peut-être pas besoin
d'ombre ; les fantômes ne sont peut-être que des
pensées, des secrets, des remords qui rôdent...

A ce tournant de ses pensées, Sylvaine secouait
la tête.

« Je suis folle! »

... De ce qu'elle eût elle-même un secret à
cacher, fallait-il en imaginer chez les autres?

* *
*

Le printemps, avec ses journées qui alternaient
le soleil et la pluie, son parfum de lilas et d'aubé-
pine en fleur, emplissait les âmes les mieux défen-
dues d'un besoin de rêve. Quittant un instant le
clavier de sa machine à écrire, le regard de Sylvaine allait vers la fenêtre où elle voyait au-
dessus de l'arbre unique de la cour un coin de ciel
traversé de nuages, lorsque la porte s'ouvrit,
livrant passage à Maxime Telmont. Il portait un
costume neuf, à la dernière mode, au travers
duquel son corps osseux semblait flotter et qui,
élargissant les épaules, faisait paraître plus petite
sa tête aux traits ravagés. Après avoir fait semblant de chercher un porte-mine sur le bureau,
il prononça :

— Vous ne vous ennuyez pas trop, dans cet
antre, mademoiselle?

Elle murmura, dissimulant son agacement :

— Mais non, monsieur.

— Pourtant, quelle triste chose que d'être enfer-
mée dans cette pièce, par ce temps merveilleux!...

En lui-même il raillait la banalité de ces paroles,
mais il n'en trouvait pas d'autres. Sylvaine répondait :

— Mais je suis très bien, ici, monsieur. Je n'ai
pas toujours disposé d'endroits aussi agréables
pour travailler.

Ses yeux, furtivement, se posèrent sur un point
du bureau.

En effet, elle se plaisait dans cette pièce, à condition que Maxime ne fût pas là. Avouant son souci permanent, elle reprit :

— Et je suis très heureuse d'avoir trouvé cet emploi bien rétribué qui nous met à l'abri du besoin, ma grand-mère et moi.

Cette phrase ne trouva aucun écho dans l'âme de Maxime et ne l'émut pas. Mais peut-être n'avait-il pas d'âme. L'amour, qui transforme et élève les êtres les plus abjects et leur fait accomplir des actes merveilleux de dévouement et d'abnégation, demeurait, chez lui, vil, bas, sans tendresse. Les souffrances de la jeune fille lui importaient peu ; il chercha simplement dans ses paroles ce qui pouvait le mieux servir des projets de conquête. Il dit, et son regard se fit plus pesant :

— Vous êtes trop jolie pour ne pas espérer autre chose dans la vie!

Une inquiétude saisit la jeune fille au sujet de ce qu'il allait ajouter, et elle dit, très vite :

— Je ne demande rien, que de vivre tranquille et de bien remplir l'emploi qu'on m'a confié...

Il ricana :

— Voilà une ligne de conduite bien stoïcienne chez une jeune fille de votre âge! Mais, considérée de cette manière, la vie ne vaudrait vraiment pas la peine d'être vécue! On y trouve, heureusement, des joies... substantielles, qu'il faut parfois, du reste, savoir se procurer.

Son rire grinçant était pénible et Sylvaine ne pouvait l'entendre sans malaise. Elle détestait le rire de Maxime Telmont, ses mains osseuses tachées de roux, son haleine d'ivrogne, ses yeux mornes où passaient des lueurs, où elle sentait, cachée, une volonté inquiétante, et sa conversation la gênait ; elle cherchait le moyen de l'abréger.

— Vous ne répondez pas? Vous n'êtes décidément pas bavarde! reprit-il.

— Excusez-moi monsieur, dit-elle, mais il me faut terminer ce rapport pour ce soir.

Il fronça les sourcils.

— Vous me chassez?

Elle eut un sourire contraint.

— Mais... non, monsieur. Pourtant, il me faut travailler. M. Servaize ne me paye pas à ne rien faire...

Il hésitait, puis se décidait à battre en retraite.

— Très bien, je ne vous importune pas plus longtemps.

Il était humilié, furieux, de se sentir ainsi intimidé devant Sylvaine, de ne rien trouver à lui dire, lui dont la réputation d'esprit lui valait du succès auprès des femmes... Mais les grands yeux sérieux et fiers arrêtaient sur ses lèvres les phrases cyniques qui formaient le fond de ses propos... Il craignait d'effaroucher la jeune fille, de compromettre, par une maladresse ou trop de hâte, la réussite de ses desseins.

Il ne se fiait pas à sa séduction physique pour obtenir Sylvaine, mais à son habileté, à son manque de scrupules, et il s'appliquait, comme une araignée, à bien tendre sa toile, de manière que la jeune fille fût obligée de s'y prendre.

Restée seule, la jeune fille soupira de soulagement, et ses yeux, comme tout à l'heure, se portèrent vers le cadre où, près de la machine à écrire posée en équerre sur le bureau, le portrait d'Hervé Servaize lui souriait. Elle se tournait ainsi vers lui lorsque Maxime l'ennuyait ; elle le regardait en arrivant, et souvent au cours de la journée...

Elle savait que le jeune homme combattait en Algérie et que son père s'inquiétait de son sort... Sylvaine encourageait M. Servaize à prendre

patience. Elle ne croyait pas possible qu'il fût
arrivé malheur à celui dont le portrait, près d'elle,
semblait si vivant.

A plusieurs reprises, Mona lui avait parlé de ce
frère plus âgé qu'elle de dix ans, et qu'elle aimait
tendrement. Par elle, Sylvaine connaissait du
jeune homme des détails qui montraient la noblesse
de ses sentiments, sa nature loyale et chevaleresque et le charme de ses manières. Les paroles
de Mona donnaient de la consistance à l'image
d'Hervé, une substance au rêve de Sylvaine...

... Lorsque, de la boîte de Pandore où ils étaient
enfermés, les maux libérés s'échappèrent et se répandirent sur les pauvres humains, tout au fond,
il resta, dit-on, l'espérance. Et il n'est pas créature
assez démunie à laquelle il ne soit donné la consolation d'espérer, de rêver...

En regardant le portrait d'Hervé, son profil au
noble dessin, son sourire loyal qui disait la joie de
vivre, Sylvaine oubliait que la vie peut être laide,
méchante, pleine d'embûches. Parce que le jeune
homme évoquait, par ses actes et son visage, un
preux d'autrefois, et que ce visage rayonnant de
confiance et d'espoir semblait la protéger contre
les forces mauvaises, la jeune fille en elle-même
appelait Hervé Servaize, le Chevalier d'Espérance...

CHAPITRE V

Ce jour-là, Sylvaine se préparait à partir et arrangeait ses cheveux devant le miroir de l'antichambre, lorsque Maxime Telmont surgit brusquement près d'elle, très élégamment vêtu d'un veston verdâtre relevé d'une cravate grenat.

— J'ai deux billets pour le théâtre de l'Athénée, où l'on joue une pièce d'un de mes amis, dit-il. Faites-moi le plaisir d'y venir avec moi !... Bien entendu, je vous ramènerai à votre domicile.

Il lui parlait tout près, et elle détourna la tête pour éviter son souffle empuanti d'alcoolique.

— Je regrette, monsieur. C'est impossible.

Le sourire qu'il esquissait s'effaça ; il fronça les sourcils.

— Pourquoi ?

Elle balbutia avec embarras :

— Parce que... cela ne plairait pas à ma grand-mère, monsieur. Elle trouverait qu'il n'est pas convenable pour une jeune fille de rentrer seule, la nuit, avec un homme.

Elle-même frissonnait à la pensée de ce retour nocturne, en compagnie de Maxime qui, par moments, lui faisait peur. Celui-ci levait les sourcils.

— Vraiment, il existe encore des fossiles aussi encroûtés de préjugés ? C'est à ne pas croire ! Mais je ne vois pas la nécessité de dire à votre grand-mère que vous venez au théâtre avec moi ! Vous n'avez qu'à inventer autre chose... du travail à faire au bureau... Toutes les jeunes filles font cela quand elles veulent leur liberté !

— Je suis incapable de mentir, monsieur.

Sous les sourcils rapprochés, les yeux mornes de Maxime l'examinèrent.

— Je ne pensais pas qu'on pût être aussi ingénu, à notre époque, observa-t-il, railleusement. Il me semble même que vous forcez la note...

Il lui était difficile de garder longtemps une discrétion, un genre de manières différent de sa façon coutumière ; il revenait vite à son cynisme.

— Allons, avec un peu de bonne volonté, je suis sûr que vous pourrez très bien tourner la difficulté... et sortir avec moi ce soir.

— Je ne peux pas, monsieur, affirma Sylvaine avec détresse.

— C'est-à-dire que vous ne voulez pas.

Il ne parvenait pas à dissimuler son dépit ; sa voix, généralement traînante, devint sèche, se chargea de menaces, et Sylvaine se demandait comment elle arriverait à se débarrasser de l'importun, lorqu'elle entendit un léger bruit ; se retournant, elle vit alors dans l'encadrement de la porte du salon une forme immobile dans laquelle elle reconnut la robe noire et l'écharpe rouge d'Alix Nadel. La jeune femme les regardait, une cigarette à la main ; et sans doute avait-elle entendu une partie de la conversation. Maxime, en la découvrant à son tour, fit une grimace.

— Je ne vous savais pas là, Alix, remarqua-t-il, sans aménité.

— J'avais la migraine. J'ai quitté l'atelier plus tôt, expliqua la jeune femme.

Sa voix était douce, comme d'habitude, mais le regard qu'elle posait sur Sylvaine avait l'éclat dur et coupant d'une lame. Il y eut quelques instants de silence contraint. Puis, devant l'embarras de la jeune fille et ce qu'il savait peut-être deviner dans l'attitude impassible d'Alix, la figure de Maxime, tout d'abord maussade, s'éclaira par degrés d'une expression d'amusement diabolique ; et Sylvaine eut l'intuition qu'il jouait quelque partie hypocrite, vilaine...

La porte s'ouvrit et Mona apparut, vive et joyeuse, apportant avec son visage rose l'image du printemps et l'odeur fraîche du dehors. Sans rien percevoir de la gêne des autres, tout de suite, elle commença :

— Justement, je voulais vous voir, Sylvaine, afin de vous inviter à la soirée dansante que nous donnons le mardi de l'autre semaine pour fêter mes dix-huit ans.

Maxime demanda d'un ton railleur :

— Ça tient toujours, cette soirée ?

— Oui.

Mona secouait la tête pour aérer ses boucles, et expliquait :

— Papa voulait la remettre, parce que nous sommes sans nouvelles d'Hervé... et j'étais un peu de cet avis. Mais maman s'est fâchée, faisant valoir que les préparatifs étaient faits, nos robes commandées et les invitations lancées, et que cela ferait mauvais effet.

Elle ajouta, avec l'optimisme qui formait le fond de sa nature.

— D'ailleurs, d'ici là, nous aurons probablement une lettre.

— Je me divertis généralement à ces réunions,

fit Maxime. Mais, malheureusement, je ne pourrai, cette fois, y assister. Je dois en effet accompagner dans le Midi un Américain pourri de dollars, qui désire acheter un château, historique de préférence. Je vais donc lui faire visiter tout ce que cette partie de la France comporte en fait de vieilles pierres à vendre.

— Tiens, tu travailles donc quelquefois? dit Mona.

La jeune fille n'éprouvait guère d'affection pour son oncle ; mais son ingénuité l'empêchait de voir dans les paroles de celui-ci autre chose qu'une attitude de taquinerie.

Il hocha la tête.

— Le moins possible, ma chère nièce! Le travail est une chose que je n'apprécie guère, et que je laisse aux autres autant que faire se peut... Il y a des gens qui prétendent que c'est l'honneur de l'homme... Quels imbéciles!

Il fit entendre ce rire bas et grinçant qui dévoilait son âme de boue.

— Je ne sacrifie à cette convention que lorsque cela en vaut la peine. Mais si l'affaire avec l'Américain réussit, c'est une grosse commission qui tombera dans mon escarcelle...

Les yeux à demi clos, indifférente en apparence à la conversation, Alix fumait silencieusement. Tournée vers Sylvaine, Mona demanda :

— Viendrez-vous à ma soirée d'anniversaire, Sylvaine? Je serais heureuse de vous avoir!

Avec une nuance, elle ajouta :

— Mes parents aussi, naturellement.

Elle dissimulait avec soin que, tandis que M. Servaize lui donnait son approbation, elle avait dû batailler plusieurs jours avec sa mère qui jugeait ridicule cet engouement de sa fille pour Sylvaine. Pour obtenir l'autorisation d'inviter la jeune fille, Maxime regarda Sylvaine et fit :

— Je crois que tu peux faire ton deuil d'avoir Mlle Bréal pour cette soirée. Elle vient de me déclarer que sa grand-mère s'opposait à ce qu'elle rentre de nuit...

Mona fit un geste qui balayait l'objection.

— Oh ! s'il ne s'agit que de cela, il y a moyen de pallier à cet inconvénient ! On dépliera un divan dans ma chambre, c'est facile...

— Je suis très touchée, dit Sylvaine. Mais, malgré cela, je ne puis accepter.

Apparemment satisfait de cette réponse, Maxime s'étira et prit son chapeau, se rappelant qu'il avait rendez-vous avec son client. Alix prétexta sa migraine pour prendre également congé ; et les deux jeunes filles restèrent seules en présenec.

— Qu'est-ce qui vous empêche d'accepter, Sylvaine ? demanda Mona doucement.

Sylvaine hésitait à répondre. Sa fierté répugnait toujours à dévoiler l'étendue de sa pauvreté, et il lui en coûtait d'avouer qu'elle ne possédait aucune robe susceptible de pouvoir être portée à la soirée de Mona... Mais celle-ci reprenait avec cette câlinerie de paroles et de regards qui la rendait si charmante :

— J'aurais tant aimé vous avoir ce soir-là, Sylvaine. Je vous aurais présentée à quelques-uns de mes amis, et à l'un d'eux en particulier, un jeune attaché d'ambassade...

Elle s'interrompit, au bord de la confidence, et dit :

— Ne pouvez-vous vraiment vous arranger pour venir ?

Sylvaine réfléchissait. Elle n'avait que vingt-deux ans, et la perspective d'un bal, d'un peu de joie à prendre en passant, de se sentir, ne fût-ce que quelques heures, une jeune fille semblable

aux autres, était bien tentante! N'est-il pas
permis au prisonnier de se réchauffer un peu aux
rayons du soleil qui glissent à travers les barreaux
de sa geôle?

Et l'idée que Maxime Telmont serait absent de
cette réunion, qu'elle n'aurait pas à subir l'ennui
de sa présence, l'insistance de ses regards, l'inclinait
à accepter... Ne lui restait-il pas au fond d'une
malle quelques robes de sa mère, trop habillées
pour qu'elle ait eu jusqu'à présent l'occasion de
les utiliser? Peut-être pourrait-elle se servir de
l'une d'elles...

— Je vais faire mon possible, promit-elle.

— Oh! que je suis contente!

Ravie, Mona se mit à virevolter, les bras étendus,
comme si déjà elle se fût trouvée le jour du bal...

... De retour chez elle, Sylvaine chercha parmi
les vêtements de sa mère — dépouilles d'un passé
heureux — et elle découvrit une robe de taffetas
bleu changeant qui, avec quelques retouches, lui
ferait une toilette convenable. Elle se mit sans
tarder à tailler, à pincer, à coudre... Mme Bréal
la regardait faire.

— Oh! je me rappelle bien le dernier jour que
ta mère a porté cette robe! soupirait-elle. Nous
avions à dîner un ministre et un sénateur, et ils se
montraient l'un et l'autre fort empressés auprès
d'elle... Quand notre malheur... est arrivé, nous
leur avons écrit... Ni l'un ni l'autre n'ont jamais
répondu à nos lettres...

Elle hochait la tête, marmottait des paroles
sans suite...

— Ta pauvre mère, Sylvaine... ton malheureux
père... Et notre belle argenterie, nos belles nappes,
qu'il fallut vendre à l'encan...

Chaque jour la faisait plus puérile, plus retournée
en arrière, brouillant les choses et mêlant les

valeurs... Mais en ce moment, Sylvaine ne voulait
pas se laisser attrister. Elle se hâtait de border le
décolleté « bateau » de la robe, de rétrécir le corsage
autour de sa taille étroite... Elle était, pour la
première fois de son existence démunie, une jeune
fille qui va au bal, et elle se sentait, à la fois, anxieuse
et joyeuse comme si, de cette soirée, eût dépendu
quelque chose d'important, de décisif...

*
* *

Le soir de la réception, lorsqu'elle entra dans le
grand salon converti en salle de bal, le cœur lui
battait d'émotion. On avait roulé les tapis, le
parquet brillant envoyait des reflets ; la lumière
qui venait du plafond sans qu'on en découvrît la
source, cachée par la corniche, répandait des coulée
fluides sur les visages fardés et faisait étinceler les
bijoux, et les miroirs reflétaient à l'infini les toilettes claires des danseuses, mises en valeur par
les vêtements sombres de leurs cavaliers. M. Servaize accueillit la jeune fille avec la bienveillance
froide à laquelle elle était accoutumée ; quant à
Mme Servaize, elle lui dédia, tout en jouant avec
un pendentif de diamants, un petit salut pincé,
accompagné d'un regard désapprobateur sur sa
toilette, jugée par elle d'une élégance déplacée,
étant donnée la condition de « cette personne »,
ainsi qu'elle le chuchota à son mari. Mais échappant
à un groupe rieur de jeunes gens, Mona s'élançait
vers Sylvaine et s'exclamait avec une admiration
sans arrière-pensée :

— Vous êtes ravissante, Sylvaine !

Elle souriait, fraîche et charmante dans une robe
rose.

— Venez que je vous présente à mes amis...
Voici d'abord Étienne d'Amblemont...

Sylvaine vit s'incliner devant elle un très beau et très élégant jeune homme, souple dans ses mouvements, les épaules larges et la taille mince ; il se servait de sa voix caressante et harmonieuse avec l'adresse d'un homme habitué à plaire aux femmes ; il dédiait à toutes le même regard, les mêmes notes voilées, le même sourire, de manière que chacune pût se croire la préférée. Sylvaine le jugea d'une séduction dangereuse et redouta que Mona ne s'y brûlât les ailes...

D'autres jeunes gens encore furent présentés à Sylvaine. Mais comme elle ne dansait pas, qu'elle ne connaissait ni les derniers potins, ni les expressions en vogue, ni le jargon spécial, synthèse d'un genre de vie perceptible aux seuls initiés, ceux qu'avait attirés sa beauté s'éloignaient, déçus. Et assise sur un divan dans l'embrasure d'une fenêtre, Sylvaine regardait, sans en demander plus, le spectacle de la salle, les couples qui tournaient au son langoureux d'un électrophone. Alix Nadel ne dansait guère et fumait beaucoup. A plusieurs reprises, Sylvaine sentit posé sur elle son regard coupant comme une lame, et elle éprouvait de cette antipathie que rien ne justifiait un sentiment pénible. Vêtue comme d'habitude avec originalité, la jeune veuve était fort séduisante dans une tunique de lamé argent posée sur une jupe noire ; et en la regardant, Mme Servaize doutait, une fois de plus, de son goût qui lui avait fait choisir cette robe jaune dans laquelle elle ressemblait à une grosse fleur de tournesol. M. Servaize échangeait de temps à autre avec l'un des invités quelques phrases sans entrain ; puis on le voyait errer solitairement en essuyant ses lunettes pour les replacer ensuite devant l'incompréhensible détresse de ses yeux.

A un moment donné, Mona, qui se trouvait en

compagnie d'un jeune homme blond, de taille moyenne, au maintien un peu gauche, s'aperçut que Sylvaine était seule ; elle s'approcha, suivie de son compagnon, et fit les présentations :

— Philippe Castelan, le meilleur collaborateur de mon père... Sylvaine Bréal, sa secrétaire. Je suis sûre que vous sympathiserez, ajouta-t-elle avec un charmant sourire.

Ensuite elle s'éloigna, persuadée d'avoir rempli un devoir et peut-être favorisé une idylle, parfaitement inconsciente de l'air navré avec lequel Philippe Castelan la suivait des yeux tandis qu'elle se dirigeait vers le groupe au milieu duquel se tenait Étienne d'Amblemont. Maîtrisant sa déception, le compagnon de Sylvaine se tourna vers elle.

— C'est une véritable bonne fortune pour moi que votre présence ici, fit-il. Je suis un peu dépaysé dans cette brillante assemblée.

Elle sourit.

— C'est aussi un peu mon cas...

Le jeune homme était sympathique, avec un visage aux traits un peu forts, non dépourvu d'agrément ; mais il manquait d'aisance, et l'on devinait en lui un travailleur plutôt qu'un mondain. Il s'efforçait d'être aimable, de parler avec désinvolture, mais son regard devenait souffrant lorsqu'il voyait Mona rire ou danser, tel un petit elfe rose, avec Étienne d'Amblemont, dont elle était visiblement éprise. A un moment, se penchant vers Sylvaine, il demanda :

— Comment s'appelle ce jeune homme avec lequel danse Mlle Servaize ? On me l'a nommé, mais je n'ai pas bien compris son nom.

— Il se nomme Étienne d'Amblemont.

— Et, quand il ne danse pas, que fait-il dans la vie ?

— Il est attaché d'ambassade, je crois.

Il eut une moue.

— Profession de luxe...

Avec un peu d'hésitation, il s'enquit :

— N'y aurait-il pas... un projet de mariage entre Mlle Servaize et lui ?

— Je l'ignore, dit Sylvaine.

— Si j'étais femme, reprit Philippe Castelan, je me méfierais de lui... C'est un séducteur professionnel... Ces sortes d'individus sont incapables d'aimer, et lorsqu'ils se marient, font des époux déplorables...

Sylvaine partageait cet avis. Avec un serrement de cœur, elle se disait que Mona, qui paraissait si heureuse ce soir, allait probablement au-devant de la souffrance. Comme il eût mieux valu pour elle se tourner vers la tendresse si franchement avouée de Philippe! On le devinait loyal et sûr, tandis que le visage d'Étienne révélait l'égoïsme et la fatuité... L'un était un homme viril, l'autre un beau mannequin vide... Mais, hélas! l'amour ne se commande pas! Le cœur, aveuglé souvent, se trompe dans ses élans.

*
* *

Après que Philippe Castelan l'eut quittée pour tenter de joindre Mona, Sylvaine, subitement, éprouva le besoin d'échapper à cette foule, à ce bruit, à cette musique auxquels elle n'était pas habituée ; à cet air confiné, saturé de parfums. Il manquait quelque chose pour elle à cette fête ; elle quitta le salon et se dirigea vers le bureau dans le but de contempler le portrait d'Hervé Servaize, la chère image de son rêve...

Le buffet était installé dans la salle à manger, le vestiaire dans la chambre de Mona, et les

domestiques se tenaient à proximité. Alors que
toute cette partie de l'appartement bruissait de
voix, de musique, d'allées et venues, le corridor
où donnait le bureau demeurait silencieux et
désert. La jeune fille longea le couloir, ouvrit la
porte du cabinet de travail, tourna le bouton de
l'électricité et un flot de lumière inonda la pièce...
A première vue, elle semblait vide ; mais au bruit
soyeux que fit la robe de Sylvaine en frôlant les
meubles, une forme remua sur un des fauteuils
et un homme se leva.

— Je crois que je dormais, fit-il en souriant.

Il portait un uniforme de lieutenant d'infan-
terie qui faisait valoir sa taille haute et un peu
mince ; il avait un visage maigre, au beau profil,
au séduisant sourire, des cheveux bruns rejetés
en arrière, et des yeux gris au profond regard.
On eût dit que le portrait placé sur le bureau
s'était animé ; et Sylvaine reconnut aussitôt celui
qui se tenait en face d'elle. Il avait le visage de
ses rêves, la forme de son idéal, il était le Chevalier
d'Espérance... Elle porta la main à son cœur...

— Vous!...

Il regardait d'un air charmé cette svelte jeune
fille en robe de taffetas à volants, qui se tenait
devant lui, la main portée sur la poitrine, dans
une attitude à la fois timide et émerveillée, et à
l'exclamation qu'elle poussa, il répondit, comme
s'il s'agissait d'un jeu :

— Certainement, c'est moi, et non un autre.
J'espère que cela ne vous déçoit pas... Puis-je
vous prier de fermer la porte ? Je préfère qu'on
ignore ma présence en ce lieu.

La tête perdue, elle obéit.

— Merci, dit le jeune homme. Maintenant,
ravissante personne qui avez sur moi l'avantage
de me connaître, dites-moi qui vous êtes... si

du moins vous appartenez à cette terre, et non
au domaine du rêve, comme je suis tenté de le
croire!

Elle murmura :

— Je me nomme... Sylvaine Bréal.

Elle éprouvait toujours, au moment de prononcer son nom, une petite angoisse ; cependant,
il ne paraissait évoquer chez ceux qui l'écoutaient
aucun souvenir, aucune réminiscence... Elle ajouta :

— Et je suis la secrétaire de M. Servaize.

— Un bon point pour mon père, approuva-
t-il. Mais comment me connaissez-vous ?

— Je travaille dans cette pièce et...

Son regard dirigé vers le portrait acheva ce
qu'elle ne disait pas.

— Ainsi, vous m'avez reconnu d'après cette
photographie ?

Elle inclina la tête.

— Oui.

— Je trouve cela... miraculeux.

Le jeune homme détaillait avec ravissement
l'ovale exquis sous les cheveux cendrés, la tendre
bouche au dessin mélancolique, les paupières aux
longs cils battants, le cou frêle hors du décolleté
bateau : tout ce qui faisait de Sylvaine une créature rare et délicieuse, pétrie de poésie pathétique ; mais ce regard posé sur elle ne gênait pas
la jeune fille comme celui de Maxime ; il lui versait au contraire une joie délicieuse, une langueur
grisante... De la main elle s'appuya à une table.

— Je vous croyais en Algérie... Comment se
fait-il que...

Il n'attendit pas la fin de l'interrogation.

— Que je suis ici ? C'est très simple... Après
quelques mois dans un hôpital au cours desquels
on a essayé de réparer mon foie malade, — tri-
but payé au climat de là-bas, — j'ai obtenu une

permission de convalescence. Sans plus attendre, j'ai pris l'avion...

Sa voix s'assourdit un peu pour ajouter :

— J'ai trouvé la maison pleine d'invités et personne pour m'accueillir. Je me réjouissais tellement de ce retour... que cela m'a fait... une drôle d'impression.

Sylvaine le vit solitaire et las, tandis que les invités dansaient et buvaient du champagne. Elle comprit qu'il devait se sentir rejeté, étranger dans sa maison, et son cœur qui connaissait la solitude s'élança vers le jeune homme. S'efforçant de panser la blessure, elle dit timidement :

— Vos parents ne vous attendaient pas. Ils étaient sans nouvelles et d'ailleurs assez inquiets à votre sujet.

— Ah !

Il leva les sourcils.

— Pourtant, ils ont donné cette fête...

Elle tenta encore une excuse :

— M. Servaize et Mona voulaient la remettre.

Il eut un mouvement d'épaules assez las.

— Mais ma belle-mère a insisté... et mon père s'est laissé convaincre...

Il paraissait déprimé, le visage plus creux ; mais il se ressaisit et secoua la tête comme pour se débarrasser de pénibles pensées.

— Peu importe. Je suppose que, pour une cause quelconque, mes lettres ne sont pas arrivées et pas davantage le télégramme par lequel j'annonçais mon retour. Ce sont des choses qui se produisent fréquemment. Mais vous comprenez que cela ne m'enchantait guère de tomber ainsi en pleine réception ! Cela m'ennuyait de dire bonjour à mon père et à ma sœur entre deux portes... Et je ne me souciais pas non plus de faire une entrée théâtrale dans le salon ! La seule pensée de me

trouver ainsi — au débotté, c'est le cas de le dire
— parmi cette foule pépiante et jacassante, de
faire face à la curiosité des amis de ma sœur, de
donner des explications, de répondre à des questions stpuides, me donnait la chair de poule!

Il passa dans ses cheveux bruns sa main belle
et élégante, et reprit :

— Heureusement, ce soir, on entre ici comme
dans un moulin... personne n'a remarqué mon
arrivée! Et j'ai pu me glisser, sans attirer l'attention, dans cette pièce où seul mon père risquait
de me découvrir. Je me suis installé dans un de
ces fauteuils et je me suis endormi... Je rêvais.
J'ai entendu du bruit...

Il acheva, et sa voix se fit plus caressante.

— Et quand vous êtes entrée... que je vous ai
vue dans l'encadrement de la porte, j'ai cru que
se poursuivait le rêve commencé...

Ils se regardaient non comme s'ils ne s'étaient
jamais vus, mais comme s'ils se connaissaient,
se retrouvaient. Pensivement, le jeune homme
poursuivit :

— C'est une chose étrange... quand je suis
arrivé, que j'ai vu le salon illuminé, tout le monde
en fête et si peu préoccupé de moi, je me suis
senti très triste. Maintenant, je trouve que j'ai
eu beaucoup de chance et il me semble que j'ai
aussi une fête dans le cœur...

Tout, dans cette rencontre, cet entretien, était
merveilleux, surprenant, irréel... Il semblait qu'un
sortilège eût changé le décor de la pièce : la
lumière électrique exaltait le terne papier grenat
des murs et lui donnait une chaude nuance cra-
moisie. Sur une tapisserie qui occupait un des panneaux, les personnages, en costume du seizième
siècle, seigneurs en pourpoint, nobles dames à la
taille pincée dans des vertugadins, qui hiératique-

ment se poursuivaient dans une forêt fantastique,
prenaient un air ensorcelé, complice... La musique
qui venait du salon, assourdie par la distance, se
faisait plus langoureuse... Le jeune homme leva
un doigt...

— Écoutez...

Il fredonna les paroles de l'air joué par l'électrophone :

> *Si tu venais danser dans mon village,*
> *Je ferais chanter tous les oiseaux,*
> *Je dirais ton nom aux blancs nuages...*

Pensivement, il reprit :

— Voyez-vous, là-bas, dans les Aurès où je
campais, et qu'au merveilleux coucher de soleil
succédait la lente tombée de la nuit, c'est à ce
moment que le cafard me prenait. Les chacals
jappaient, le vent promenait les odeurs des euca-
lyptus et des térébinthes mêlées aux parfums
d'orangers ; les tamaris frissonnaient, chaque buis-
son pouvait receler un danger, chaque boqueteau
dissimuler des fellaghas prêts à l'attaque — et
moi je rêvais à mon retour en France, à la douceur
sans pareille de ma patrie...

Sa voix trembla, car il était bien celui qu'elle
imaginait, avec un cœur songeur et tendre, où
les sentiments prennent de grandes et profondes
racines, et il reprit :

— Je me disais qu'il devait y avoir quelque
part une jeune fille... qui vous ressemblait, qui
avait de grands yeux doux et des cheveux de
cendre dorée, et je pensais que j'aimerais danser
avec elle sur cet air... Voulez-vous danser ?

Elle soupira.

— Je ne sais pas danser...

Il rit.

— Moi non plus. Qu'est-ce que cela fait?

Il l'entraîna. Ils dansèrent, bercés par la musique lointaine, enchantée. Ils avaient vraiment l'impression d'avoir franchi la limite qui sépare le songe du réel et d'être entrés dans leur propre légende. L'air qui venait par la fenêtre sentait les feuilles mouillées et la giroflée ; au-dessus du grand marronnier, une étoile clignotait. La lumière électrique s'adoucissait pour nimber d'or les cheveux cendrés de Sylvaine, le beau profil d'Hervé. La jeune fille fermait les paupières, parce qu'elle avait le vertige et qu'elle sentait contre son épaule le battement du cœur du jeune homme ; mais quand elle ouvrait les yeux, elle tombait dans une extase plus grande, parce qu'elle voyait tout près d'elle le beau masque ferme, le nez droit, la bouche découpée, le visage de son attente, de son espérance...

Quand, enfin, la musique se tut et qu'Hervé cessa de la soutenir, Sylvaine chancela. Elle se passa les mains sur le visage, respira fortement et parut alors se réveiller. D'un air un peu égaré, elle murmura :

— Il faut que je rentre... On risque de s'étonner de mon absence... de me chercher...

— Ah! soupira le jeune homme, j'aurais voulu que cette minute se prolongeât encore! Mais je ne voudrais pas qu'on vienne ici et qu'on nous découvre ensemble... Notre première rencontre doit rester un secret entre nous, n'est-ce pas ?

Ils se sourirent... Il y avait entre eux l'extraordinaire subtilité des âmes qui se comprennent, des cœurs qui s'accordent... Hervé prit la main de Sylvaine, la porta à ses lèvres.

— Ce sera pour nous, plus tard, un souvenir... Toute ma vie je me souviendrai de ce merveilleux retour! On dirait un conte!

Elle répéta, les lèvres tremblantes :

— Oui, on dirait un conte...

Une dernière fois, ils se sourirent avant de se quitter, puis Sylvaine se dirigea vers la porte. Au-dessus du marronnier, l'étoile ne clignotait plus, cachée par quelque nuage ; sur la tapisserie, les personnages avaient repris leurs attitudes figées. La silhouette de la jeune fille ondula un instant avant de disparaître ; puis la porte se referma, comme un rideau qui tombe sur une féerie...

CHAPITRE VI

Mᵐᵉ Servaize entra brusquement dans la pièce où, comme chaque après-midi, Sylvaine tapait à la machine et, après avoir refermé la porte qui claqua, prononça :

— Mademoiselle Sylvaine, dès que vous aurez un moment, vous irez porter ce paquet chez le teinturier.

Comme toujours lorsqu'elle s'adressait à la secrétaire de son mari, la voix de Cécile Servaize était sèche et autoritaire ; il s'y ajoutait aujourd'hui une note acrimonieuse, révélant la mauvaise humeur. La réception donnée dans le but d'amener Étienne d'Amblemont à se déclarer n'avait pas donné le résultat escompté ; tout en se montrant aimable et empressé auprès de Mona, le jeune homme ne paraissait pas pressé de parler de mariage — du moins pour le moment. De ce côté-là, c'était une déception. En outre, la belle Cécile estimait que la robe jaune, qui pourtant venait de chez Jean Flor, ne l'avantageait pas ; elle avait même cru entendre un de ses invités la comparer à une terrine, et elle cherchait quelqu'un à qui faire payer ces divers mécomptes.

En raison de la présence d'Hervé, elle se contraignait à faire bon visage et n'avait pu chercher querelle à son mari pour soulager sa rancœur ; il ne lui restait donc qu'à tracasser la bonne et la femme de ménage qui s'affairaient à remettre en ordre l'appartement bouleversé, et depuis le matin sa voix aigre retentissait à travers les cloisons. Elle déposa le paquet sur le bureau et poursuivit :

— Ma fille et son frère sont sortis, les bonnes sont occupées, et je ne suis pas disposée à sortir moi-même.

Elle était, malgré sa beauté réelle, de ces femmes qui prennent facilement un air négligé et qu'un rien transforme en mégères ; et avec ses cheveux en désordre répandus sur le col gras d'une robe de chambre marron qui lui épaississait la taille et lui plombait le teint, elle ressemblait fort peu à l'élégante mondaine qu'elle prétendait être. Elle jeta un regard malveillant sur Sylvaine et se demanda une fois de plus comment elle s'arrangeait pour avoir cet aspect net et soigné en portant toujours le même costume, et cette minceur, ce teint de rose thé... Ce n'est pas elle qu'on eût pensé comparer à une terrine! Elle envia cette jeunesse qui la fuyait, et sa voix se fit blessante pour ajouter :

— C'est à deux pas, et je pense que cela ne vous fatiguera pas beaucoup de faire cette course.

Sans vouloir remarquer la manière dont ces paroles étaient dites, Sylvaine répondit :

— J'irai aussitôt terminé le travail en cours, madame.

Mme Servaize inclina son beau visage sur lequel, aujourd'hui, les flétrissures de la quarantaine se montraient.

— J'y compte.

Elle se drapa dans sa robe de chambre d'un

air olympien et sortit. Restée seule, la jeune fille
se remit au travail et en même temps reprit sa
rêverie interrompue par l'entrée de Mme Servaize.
Les paroles de celle-ci n'avaient pas réussi à assombrir son euphorie. Et tandis que ses doigts agiles
pianotaient sur le clavier de la machine, une sorte
de ravissement passait sur son visage en se rappelant tout ce qui s'était passé la veille dans cette
pièce...

Cela ressemblait à une de ces aventures ex-
traordinaires et charmantes qu'on lit dans les livres,
ou qui arrivent aux autres jeunes filles ; qu'elle
lui fût arrivée à elle-même lui laissait comme un
éblouissement. Elle ne pensait pas à l'avenir,
elle ne se demandait pas où et comment elle rever-
rait Hervé, s'il y aurait une suite à cette rencontre...
Sa pensée n'osait pas aller jusque-là. Le souvenir
des minutes enchantées vécues dans cette pièce,
parmi ces meubles, sous le regard bienveillant et
complice des seigneurs et des nobles dames de la
tapisserie lui suffisait. Elle choyait ce souvenir et
indéfiniment recommençait le même rêve. Il lui
semblait retrouver les paroles du jeune homme
dans l'espace ; elle croyait entendre le timbre
grave et caressant de sa voix, et sentir autour
de sa taille le contact de son bras. Et elle, qui ne
chantait jamais, se surprenait à fredonner l'air
sur lequel ils avaient dansé ensemble... Il faisait
beau, le soleil rayonnait. Et comme pour lui
répondre, des moineaux joyeux gazouillaient dans
le marronnier du jardin.

Ayant terminé son travail, la jeune fille rangea
les feuilles dactylographiées sur le bureau et se
disposa à faire la commission dont l'avait chargée Mme Servaize. La teinturerie n'était pas loin.
La course fut rapidement expédiée. A son retour,
Sylvaine croisa dans l'antichambre Alix Nadel

dont elle ignorait la présence à l'appartement ce
jour-là. Parfois, elle croisait ainsi la jeune femme
silencieuse comme une ombre révélée par la cigarette qu'elle ne quittait guère. Leurs relations
étaient de stricte politesse, et après un échange
de saluts, elles se quittèrent. Comme d'habitude,
Alix fumait, l'arôme de son tabac se mêlait au
parfum dont elle usait pour former une odeur
violente qui enveloppa Sylvaine et qu'elle crut
emporter avec elle dans le cabinet de travail. Et
voici que la jeune fille éprouva une impression
étrange en entrant dans la pièce ; elle sentit un
changement, n'y retrouva pas la bienheureuse
douceur qui berçait son rêve... C'était comme si
en son absence un ferment en eût décomposé
l'atmosphère...

Au moment de se remettre au travail, elle
s'aperçut que son papier carbone était usé ; elle
ouvrit alors un petit placard aménagé dans le
mur, derrière la machine à écrire, que M. Servaize lui réservait, et où, sur des étagères de bois,
elle rangeait son papier, ses gommes, et aussi son
sac à main et les objets dont elle faisait usage. Or,
en déplaçant le carbone, elle découvrit sur la
tablette, tout au fond du placard, un menu paquet
enveloppé de papier de soie dont elle se demanda
l'emploi et la provenance. Elle allait s'en saisir
lorsque la porte s'ouvrit et M. Servaize entra.

— Bien travaillé, mademoiselle Sylvaine ?
demanda-t-il.

L'arrivée de son fils, en le soulageant d'une
inquiétude, l'avait transformé, rajeuni ; l'expression de son regard était moins amère, les rides
encadraient sa bouche moins profondes, et sa
voix, en s'adressant à la jeune fille, sonnait joviale,
presque paternelle...

— J'ai recopié les fiches en triple exemplaire,

comme vous me l'avez demandé, répondit Sylvaine.

Après une hésitation, elle ajouta :

— Je n'ai pas eu le temps de taper le rapport,
car je suis allée faire une course pour Mme Servaize.

Il s'arrêta d'examiner les feuilles dactylographiées pour dire :

— Une course? Quelle course?

— Oh! rien de très désagréable! Simplement
porter un paquet chez le teinturier...

Jérôme Servaize claqua des doigts avec impatience.

— Cela n'entre pas dans vos attributions. Il
y a la bonne pour ce genre de travail. Vous auriez
dû le faire remarquer à ma femme...

La jeune fille eut un léger et mélancolique sourire.

— Les bonnes étaient occupées et... je ne pouvais guère refuser, monsieur.

En effet, du fait qu'elle était pauvre, sans
défense, obligée de gagner sa vie, combien d'em-
ployeurs, avant Mme Servaize, ne l'avaient-ils
pas jugée corvéable à merci!

— D'ailleurs, reprit-elle, cela n'a pas été très
long. J'aurai vite fait de rattraper le temps perdu.
Et je ne voudrais pas que Mme Servaize pût douter de ma bonne volonté, de mon désir de lui
être agréable!... ni croire que je me suis plainte
à vous.

— Soit, dit Jérôme Servaize. Je ne dirai donc
rien à ma femme. Veuillez prendre note de quelques lettres à taper...

— Oui, monsieur.

Elle se dirigea vers le placard pour prendre
son bloc et ses doigts à nouveau frôlèrent le petit
paquet enveloppé de papier de soie dont la pré-

sence tout à l'heure l'avait étonnée. Elle le prit,
ses doigts le palpèrent ; intriguée par son contenu,
elle le déplia... et une exclamation lui échappa.

— Qu'y a-t-il ?

Levant la tête de son bureau où il compulsait
des papiers, M. Servaize regardait la jeune fille
qui fixait d'un air égaré un objet scintillant dans
son enveloppe de papier de soie.

— Qu'est-ce que cela ? demanda M. Servaize.

Averti d'un danger avant que son intelligence
l'ait réalisé, le cœur de Sylvaine s'était mis à
battre très vite. Elle fit d'une voix tremblante :

— Je ne sais pas, monsieur.

Elle posa sur lui un regard hébété.

— Je viens de trouver... ceci dans le placard,
sur la tablette où je range mes gommes et mon
carbone...

M. Servaize se pencha et eut un cri d'étonnement.

— Mais dit-il, c'est le pendentif de ma femme !

Sylvaine se souvint alors d'avoir vu la veille
un bijou semblable orner le cou un peu empâté
de Cécile Servaize. Mais comment se trouvait-il
là ? Qui l'y avait mis ?

Le soleil à présent s'était caché, comme battant en retraite, et une odeur d'ombre montait
de la pelouse arrosée. Dans le grand marronnier,
les oiseaux allaient et venaient, occupés à cons-
truire leur nid ; l'un d'eux, plus hardi, vint se
poser sur le bord de la fenêtre ; puis, comme
effrayé de ce qu'il y avait vu, s'envola en poussant un cri aigu. Sylvaine frissonna.

— Vous dites que... vous venez de trouver ce
bijou dans le placard ?

La jeune fille murmura :

— Oui, monsieur, à l'instant même.

Et tandis qu'elle parlait, une croissante angoisse

lui serrait la gorge et elle se sentait glacée des pieds
à la tête.

— Singulière histoire! grommela M. Servaize.

Il avait pris le bijou et, dans le creux de sa main,
les brillants jetaient mille feux. Il y eut un silence.
On entendit le ronflement de l'aspirateur que les
bonnes promenaient sur les tapis, puis la voix
aigre de Mme Servaize faisant une observation.

— Ma femme portait ce pendentif hier soir,
reprit M. Servaize. Comment diable peut-il être
ici? Que signifie cette énigme?

Par-dessus ses lunettes il regardait la jeune fille.
Celle-ci se passa la main sur le visage.

— Je... ne comprends pas, monsieur.

Elle regardait autour d'elle avec désespoir.
Était-il possible qu'elle eût connu la veille, ici
même, des minutes émerveillées, qu'elle y eût
dansé dans les bras d'Hervé? Rien, en apparence,
n'était changé, mais tout semblait différent. Le
papier mural avait une nuance triste ; les personnages de la tapisserie se figeaient dans une
attitude soupçonneuse, réprobatrice ; dans son
cadre le portrait d'Hervé n'était plus qu'une
image impuissante... Il traînait à présent dans la
pièce quelque chose de visqueux, de sinistre, une
intention mauvaise, une méchanceté sournoise
qui dissipait l'enchantement et faisait fuir l'espérance... M. Servaize se taisait, les sourcils froncés,
l'air inquiet et perplexe, et son silence affola
Sylvaine.

— Monsieur, murmura-t-elle, j'espère que...
vous ne croyez pas...

Elle s'interrompit, porta la main à sa gorge
d'où les paroles sortaient avec peine.

— Ce n'est pas moi qui ai mis ce bijou en cet
endroit, monsieur, je vous le jure!

Elle se tenait devant lui, comme une accusée,

une victime offerte à tous les coups du sort ; ses prunelles dilatées faisaient deux trous d'ombre dans son visage pâle... L'expression préoccupée de Jérôme Servaize s'amollit de pitié.

— Allons, dit-il, remettez-vous... Vous ai-je dit que je vous soupçonnais ? Pas du tout. Il est évident que si vous aviez pris ce bijou, — et je me demande comment vous auriez pu le faire, — vous n'auriez pas eu la maladresse de le déplier devant moi! Soyez donc rassurée...

Incapable de résister plus longtemps à son émotion, la jeune fille se laissa tomber sur un fauteuil et M. Servaize murmura, comme pour lui-même :

— Mais je me demande...

Il n'alla pas plus loin. Ses yeux, quittant le visage de Sylvaine, errèrent dans la pièce, mais il ne semblait rien voir. Des pensées qu'il ne disait pas se succédaient sur son visage comme les vagues de la mer. Enfin, il se dirigea vers son bureau, s'assit. Puis, comme suite à ses réflexions, il prononça lentement :

— Je crois comprendre ce qui s'est produit. Ma femme a sans doute déposé ce bijou ici, sans savoir que ce placard vous était réservé, pour le remettre au bijoutier en vue d'une réparation... ou une transformation... et elle a oublié de me le dire. Oui, c'est cela, certainement.

Il enleva, remit ses lunettes.

— Il s'agit de... d'une erreur, d'un malentendu. Il n'y a pas de quoi vous mettre martel en tête. Et ne suis-je pas là pour arranger les choses ? L'incident est clos. Oubliez-le.

Elle posa sur lui ses grands yeux inquiets et murmura :

— Je vous remercie beaucoup de votre confiance, monsieur. Pourtant, j'aimerais savoir...

Il fit avec une sorte de colère :

— Ce que je vous ai dit doit vous suffire. N'insistez pas !

Elle se demandait si réellement elle devait lui être reconnaissante de sa confiance, s'il n'avait pas une raison de parler comme il venait de le faire... Sans sa crainte de perdre cet emploi providentiel, elle eût exigé de connaître la vérité ; mais elle ne pouvait que s'incliner.

— Bien, monsieur, dit-elle.

Après avoir dicté quelques lettres, M. Servaize se disposa à sortir, emportant le pendentif. Au moment de franchir la porte, il se retourna.

— A propos, dit-il, je préfère que vous ne fassiez à ma femme... ou à qui que ce soit... aucune allusion à cette histoire de bijou. Cela vaut mieux.

Sylvaine le regarda profondément. Qu'avait-il deviné, compris, conclu ? On ne pouvait rien lire dans ses yeux protégés par les lunettes, son visage privé de regard semblait fourbe et la jeune fille avait l'impression de se trouver non plus en face d'un patron débonnaire, mais d'un homme inquiétant, chargé de secrets.

Il partit. La jeune fille ne sut pas ce qu'il avait dit à sa femme ; il ne lui parla plus jamais de l'affaire du pendentif et elle n'osa pas l'interroger. Et longtemps après que ce mystère serait éclairci, il perdrait de son importance parmi le dénouement du drame dont il était l'un des épisodes.

M. Servaize ne reparut pas de l'après-midi, qui finit de se dérouler paisiblement ; cependant, Sylvaine ne parvenait pas à dominer une sourde angoisse. Malgré les efforts de M. Servaize pour ramener la chose à un incident sans importance, Sylvaine comprenait fort bien que le bijou avait été mis dans le placard réservé à son usage personnel dans le but de la faire accuser de l'avoir

volé. Il s'agissait évidemment d'une machination
destinée à la faire chasser, et que la confiance de
M. Servaize, et surtout le fait qu'elle eût découvert le bijou avant que sa disparition eût été
signalée, avaient empêché d'aboutir.

Accusée de vol, comment, en effet, se fût-elle
défendue ? Le secret qui pesait sur sa vie se serait
alors révélé... pour l'accabler !

Mais qui donc avait préparé ce traquenard ?

Était-ce Mme Servaize, après avoir, au préala-
ble, pris la précaution de l'éloigner en l'envoyant
chez le teinturier ? Sylvaine ne le croyait pas. Cette
manœuvre tortueuse dénotait de la part de son
auteur une imagination dont, jusqu'à preuve du
contraire, la jeune fille jugeait la belle Cécile bien
incapable ! Ses sentiments, bons ou mauvais, ne
devaient pas dépasser la médiocrité, et ses anti-
pathies se satisfaire de menues brimades...

Si Maxime Telmont eût été présent, Sylvaine
aurait pensé qu'il était l'auteur de ce plan machia-
vélique pour la tenir en son pouvoir et obtenir
ce qu'il désirait d'elle. Cela ressemblait à l'esprit
retors, au manque de scrupules devinés en lui...
Mais il se trouvait à plusieurs centaines de kilomètres, et l'on ne pouvait l'accuser, à moins qu'il
n'eût chargé quelqu'un de préparer en son absence
le traquenard dans lequel elle devait tomber.
Mais qui ? Un domestique peut-être ? La jeune
fille savait qu'il y avait une bonne à demeure, et
une femme de journée ; mais elle les connaissait
à peine...

Et elle songeait avec terreur qu'un ennemi
inconnu rôdait autour d'elle dans l'ombre, comme
un fantôme malfaisant, prêt à lui faire du mal, à
tenter de lui arracher son gagne-pain... Mon Dieu,
n'avait-elle pas connu déjà assez de misères,
de souffrances, d'opprobres ? D'autres l'atten-

daient-ils encore sur le chemin d'épines qu'était
sa vie?

D'avoir dû retenir trop de larmes, elle pleurait
difficilement, mais ces larmes qui ne coulaient
pas lui brûlaient les yeux... Interrompant son
travail, elle mit les mains sur ses paupières pour
en calmer la cuisson. La porte, en s'ouvrant, la
fit sursauter.

— Bonjour, dit une voix au timbre harmo-
nieux.

Elle se retourna et une joie brusque et chaude
l'envahit, submergeant tout le reste : l'espérance
n'était pas morte, étouffée par la haine. Hervé
Servaize avançait vers elle et il souriait en la
regardant.

CHAPITRE VII

Et, comme la veille, Sylvaine s'exclama :

— Vous!

En effet, l'apparition du jeune homme au moment où elle désespérait prenait un caractère de miracle. Il s'étonna de sa surprise.

— Vraiment, vous ne m'attendiez pas?

Elle fit sur son front le geste du dormeur qui s'éveille d'un cauchemar et murmura :

— Non.

Il était là, grand, mince, les yeux brillants, plus séduisant encore dans le plein jour que la veille sous la lumière électrique... Pourtant, on voyait mieux sur son visage les traces laissées par la maladie et le séjour aux colonies ; une ombre rousse, qui creusait les orbites, approfondissait le dessous des pommettes et accentuait la fossette du menton ; une cicatrice zébrait la joue, marque de quelque blessure reçue au combat ; mais ces symptômes de la vie héroïque et dangereuse qu'il avait menée n'enlaidissaient pas ses traits et, bien au contraire, leur donnaient un charme de virilité, de courage. Comme naguère son portrait, sa présence apportait à Sylvaine le réconfort, l'espoir...

Sur un ton de doux reproche, il fit :

— Vous deviez cependant bien vous douter que je chercherais à vous revoir... le plus tôt possible ! Et j'en avais un tel désir qu'il m'a été impossible d'attendre un jour de plus. Je regrettais de vous avoir laissée partir trop vite, et j'avais hâte de vérifier si vous étiez semblable à la radieuse image que gardait ma mémoire.

Il prit un temps et acheva :

— Mais vous êtes encore plus jolie que je ne me le rappelais.

Un faible sourire fut la seule réponse de la jeune fille. Son trouble était si grand qu'elle ne trouvait pas de paroles et, doucement moqueur, il demanda :

— Pourquoi ne me répondez-vous pas ? Seriez-vous devenue muette depuis hier ?

Tout en parlant, il la regardait, et il s'efforçait de comprendre ce qu'il y avait en elle qui la rendait différente, qui la mettait à part des autres jeunes filles... Et il pensa que c'étaient ses yeux bruns, veloutés, qui, à l'ombre des grands cils battants, semblaient pleins de pensées profondes et inexprimables.

— Mais, fit-il, saisi, on dirait que vous avez pleuré ! Quelqu'un vous aurait-il fait de la peine ?

Et il y avait dans sa voix tant de pitié, tant de tendre compassion, que cette fois des larmes vinrent vraiment aux yeux de la jeune fille. Depuis longtemps on ne lui offrait plus de pitié, mais seulement des devoirs ; et son cœur fut près de crever ; elle fut sur le point de lui expliquer le piège qu'on lui avait tendu. Mais elle se rappela à temps sa promesse à M. Servaize de ne parler à personne de l'histoire du pendentif, et dans l'impossibilité de révéler son souci, elle dit :

— Personne ne m'a fait de peine... C'est... un peu de fatigue. Je suis souvent lasse à la fin de la journée.

Elle sourit courageusement. Du fait qu'Hervé était là, la crainte, le désespoir, desserraient leurs griffes.

— Je ne vous dérange pas? s'inquiétait le jeune homme.

De crainte qu'il ne partît, n'emportât le miracle, elle répondit vivement :

— Non... j'ai fini le travail que m'avait confié votre père...

Il y eut ensuite un silence... Les deux jeunes gens se regardaient sans rien dire, un peu intimidés à présent l'un en face de l'autre... Ils savaient qu'ils étaient destinés à s'aimer ; il ne leur avait fallu que quelques minutes pour l'apprendre ; mais cette certitude trop vite acquise les troublait... A ce moment, il y eut une bruissement d'étoffe rapide, comme l'approche d'un léger ouragan et, rayonnante de jeunesse et de gaîté, Mona fit son entrée.

— Tiens, tu étais là, Hervé? s'exclama-t-elle.

Sylvaine et le jeune homme tressaillirent, comme évadés d'une transe.

— Comme tu vois, répondit Hervé.

— Allons, bon, fit Mona d'un ton déçu, moi qui me réjouissais de te présenter à Sylvaine, je vois que j'arrive trop tard et que vous avez fait connaissance sans moi.

Aucune trace de la fatigue d'avoir ri et dansé une partie de la nuit ne marquait son visage rose et joyeux ; la mélancolie des lendemains de fête n'avait pas de prise sur sa jeunesse et son optimisme. Et elle ne se tourmentait pas comme sa mère parce qu'Étienne d'Amblemont ne s'était pas encore déclaré ouvertement. Son amour ingénu

se satisfaisait de le voir, de lui parler, des compli-
ments et des attentions qu'il lui prodiguait, et
n'en demandait pas plus. Elle était sans impatience,
naïvement persuadée que l'existence n'aurait
pour elle que des fleurs. Et, en la voyant ainsi,
confiante et désarmée, Sylvaine avait envie
de joindre les mains pour une prière : « Mon
Dieu, faites que la vie ne soit pas si cruelle, si
perfide! »

Cependant, Hervé répondait, une lueur amusée
dans ses yeux gris :

— Tu sais bien que je déteste tout ce qui est
formaliste...

Elle acquiesça :

— Pour cela, oui!

Tournée vers Sylvaine, elle compléta :

— Imaginez-vous, Sylvaine, que ce vilain
garçon, pour lequel nous nous faisions tant de
soucis, est arrivé cette nuit sans crier gare, et
qu'au lieu de venir nous voir aussitôt comme il le
devait, il s'est caché jusqu'à ce que la réception
soit finie! Alors, seulement, il a daigné nous avertir
de sa présence... Que pensez-vous de cela?

Les bras croisés, elle prenait Sylvaine à témoin
de son indignation.

— Tu n'imaginais tout de même pas, répliqua
Hervé, qu'aussitôt arrivé j'allais me mettre à
faire danser les petites jeunes filles sucrées, assem-
blées dans le salon! Je n'ai jamais été très friand
de ce genre de gymnastique, et je suis trop délabré
actuellement pour l'apprécier mieux! En outre,
j'ai quitté Paris depuis si longtemps que je n'y ai
plus de relations qu'il m'aurait été agréable de
rencontrer... et j'aurais été complètement dépaysé.

Mona haussa ses mignonnes épaules.

— Mon frère chéri, tu dérailles, déclara-t-elle.
C'est bien gentil d'être original, mais il ne faut

rien exagérer. D'abord, tu aurais fait plus tôt
connaissance de Sylvaine, et tu lui aurais tenu
compagnie.

Il eut vers Sylvaine, qui écoutait appuyée à la
table, son sourire de magicien et dit :

— Ça, c'était un avantage indiscutable. Mais
peut-être ne désirais-je pas faire sa connaissance
dans la foule, et me suis-je arrangé autrement.

Mona le regarda, étonnée, mais, sans comprendre,
poursuivit :

— Et je t'aurais présenté à Étienne d'Amblemont ; tu aurais aussi retrouvé Philippe Castelan,
avec qui tu sympathisais autrefois.

— Étienne d'Amblemont, demanda Hervé,
n'est-ce pas ce beau jeune homme brun avec
lequel je t'ai aperçue parler longuement au
moment de son départ ?

Elle s'épanouit.

— Oui, c'est lui !

— Il a l'air très satisfait de sa personne. Quant
à Philippe, je me souviens très bien de lui. C'est
un brave type... et un homme supérieur.

Elle eut un geste insouciant.

— C'est ce que dit papa. Mais il est ennuyeux,
et il ne sait pas danser...

Avec une pirouette, elle ajouta :

— Et moi, je voudrais que la vie soit une succession de soirées, de bals, de lumières...

Elle esquissa quelques pas de danse en tenant
sa robe des deux mains, puis se laissa tomber sur
une des « guérites ».

— Quelle enfant ! soupira Hervé d'un air
attendri. Elle croit que la vie est un jeu.

Mona secoua sa tête aux courts cheveux bou-
clés.

— Je n'ai jamais compris ce qu'il y avait
d'avantageux à paraître désabusé. La vie est une

bonne chose, pourquoi le nier?... Donne-moi
une cigarette, Hervé, pendant que papa n'est pas
là...

Elle alluma sa cigarette, souffla la fumée et
expliqua :

— Le cher vieux daddy n'est pas de son
époque, il n'aime pas que je fume, et son rêve
serait de me voir rester toute la journée à la maison, à tricoter ou à faire des jours turcs, selon
l'idéal périmé du *Journal des Demoiselles*.

Il semblait invraisemblable d'imaginer Mona
sous cet aspect. Elle soupira et termina, sur un
ton pénétré du plus haut comique :

— Vous vous rendez compte ?

Tournée vers Sylvaine, elle ajouta sur un ton
de confidence :

— Et vous savez, Sylvaine, Hervé a beau être
ours et taquin, je suis bien contente qu'il soit là !
Ça change l'air de la maison...

Les voix du frère et de la sœur s'élevaient,
alertes et joyeuses, dans la pièce, chassant les
miasmes malsains, et Sylvaine elle-même souriait,
gagnée par leur gaieté. Ils bavardèrent ainsi
jusqu'à ce que la jeune secrétaire eût manifesté
son intention de partir, et les après-midi sui-
vantes se retrouvèrent souvent dans le bureau.
Quelques jours plus tard, alors que Sylvaine ayant
terminé son travail, qui consistait ce jour-là en
un traité technique particulièrement fastidieux,
rangeait ses feuilles dactylographiées, Hervé, entrant dans la pièce, demanda :

— Avez-vous quelque chose de spécial à faire
ce soir ?

Prise au dépourvu, elle répondit :

— Non... Pourquoi ?

— Je viens de faire l'acquisition d'une voiture
pour mon usage personnel, expliqua le jeune

homme. Oh! un modeste véhicule, convenant à ma situation. Que diriez-vous d'un petit tour?

Il levait sa main brune.

— Mona vous attend dans la trottinette, et je n'accepte pas de refus...

Sylvaine se laissa entraîner, et bientôt se trouva installée auprès d'Hervé dans la petite voiture grise qui démarra. Elle ne savait pas où il la conduisait, mais peu lui importait ; la seule chose qui comptait, c'était la présence du jeune homme à ses côtés, sa belle tête virile souvent tournée vers elle, ses yeux gris, plus clairs de s'ouvrir dans son visage bronzé, qui lui souriaient...

Ils prirent ainsi l'habitude d'aller faire une courte promenade le soir après que Sylvaine eût terminé son travail. Le plus souvent, Mona se joignait à eux. Sensible aux choses du cœur, elle comprit très vite qu'un attrait plus puissant qu'une simple sympathie poussait l'un vers l'autre Sylvaine et son frère... Et comme elle éprouvait pour la jeune fille une amitié réelle, et que son esprit ignorait la vanité et les préjugés, elle se réjouissait sincèrement de cette idylle pressentie. Mais quand ils se trouvaient seuls, la conversation des deux jeunes gens demeurait banale et coupée de longs silences...la communion de leurs âmes se passait de mots. Parfois, Hervé parlait de son enfance auprès de son père, sa mère étant morte alors qu'il était tout petit ; Sylvaine sut combien M. Servaize se montrait tendre et attentif envers son fils, et comprit que le jeune homme gardait encore la nostalgie de cette époque, et que le remariage de son père avait été une dure épreuve pour son âme d'enfant. Elle apprit également qu'Hervé s'était engagé à l'âge de dix-huit ans, sous l'occupation, dans les Forces Françaises Libres, qu'il avait combattu et gagné ses galons

en Afrique, puis en Alsace, **pour repartir** enfin en
Algérie; et sut qu'il aimait sa **carrière militaire**
parce que, telle qu'il la concevait, elle répondait
à ses goûts pour le panache et le romanesque.

Sans doute, le jeune homme eût-il aimé que
Sylvaine parlât un peu d'elle-même; mais elle
ne pouvait se laisser aller à la douceur de se
confier. Le secret qu'elle devait garder étouffait
les paroles sur ses lèvres et barrait la route aux
confidences.

Mona avait raconté à son frère ce qu'elle savait
de son amie, c'est-à-dire que celle-ci vivait avec
une grand-mère âgée dont, par son travail, elle
assurait la subsistance, et qu'un mystère planait
sur la vie de la jeune fille.

Hervé hochait la tête. Il comprenait bien qu'il
existait dans l'existence de Sylvaine quelque
chose de pathétique. Ce n'étaient pas des circonstances ordinaires qui avaient imprimé à ce jeune
et pur visage un tel reflet de solitude et de douleur.
Libre de soucis, elle eût pu être gaie, joyeuse,
comme Mona et les autres jeunes filles. Il s'en
rendait compte lorsque près de lui, quand la
petite auto grise roulait dans les allées du Bois
sur lesquelles le soir tombait lentement, elle
murmurait en regardant autour d'elle d'un air
émerveillé :

— Qu'il fait bon! Quelle belle fin de journée!
Je ne me souvenais pas que le mois de juin était
si beau à Paris!

Sur son visage déshabitué de la joie, des sourires tremblants frémissaient, pareils aux rayons
du soleil glissant entre les feuilles. Puis elle regardait l'heure et soupirait :

— Il faut que je rentre... Grand-mère va s'inquiéter.

Le jeune homme alors la reconduisait jusque

devant la maison lépreuse où se trouvait son logis. Ils se quittaient devant la porte. Hervé ne demandait pas à Sylvaine de monter avec elle, comme avait fait son père, et elle ne le lui offrait pas.

Mona, qui se plaisait à faciliter leurs rencontres, eut un jour l'idée d'organiser une grande randonnée aux environs de Paris, dans la petite auto grise, et de choisir le dimanche, afin d'y convier Sylvaine, et dès que la chose fut arrêtée, elle s'empressa d'en faire part à la jeune fille. Elle pensait, ainsi qu'Hervé, qu'elle allait accepter d'emblée ; aussi furent-ils l'un et l'autre fort étonnés de l'entendre dire avec une sorte de terreur :

— Dimanche prochain ? Ce n'est pas possible !...

Les trois jeunes gens étaient dans le cabinet de travail ; Sylvaine se tenait contre la fenêtre, et le soleil saupoudrait d'or ses cheveux légers ; mais son visage paraissait très pâle, et ses yeux sombres avaient l'air privés à jamais de lumière.

— Oh ! Sylvaine, arrangez-vous ! pria Mona de son accent le plus enjôleur. Je suis sûre que vous pouvez très bien vous libérer...

Sans les regarder, elle répondit :

— Non... je ne le peux et ne le dois pas...

Elle crispa ses mains l'une contre l'autre.

— Ne m'en veuillez pas et... ne me demandez rien.

Surpris de son émotion disproportionnée, les jeunes gens la regardaient sans rien dire. Il y eut un petit silence, puis Hervé prononça avec douceur :

— Eh bien ! nous remettrons notre promenade à plus tard. Ne vous contrariez pas pour cela, surtout...

Il plaisanta ensuite, légèrement, gentiment,

pour montrer qu'il ne lui gardait pas rancune de
son refus...

Il ne voulait pas la brusquer, il ne cherchait
pas à savoir ce qu'elle désirait tenir caché... Elle
avait droit à ce qu'on la laissât en paix, cette
enfant chargée de chaînes! La confidence viendrait à son heure, le jeune homme n'en doutait
pas. Dans la générosité de son cœur chevaleresque, il souhaitait la consoler, lui faire oublier
ses pensées, lui apporter le bonheur dont elle
avait été sevrée... Il ignorait qu'ils étaient l'un
et l'autre les jouets d'un destin pervers qui semblait assoupi, mais se réveillerait un jour...

M. Servaize n'avait pas changé d'attitude envers
Sylvaine ; il lui montrait la même bienveillance
distante que naguère. A une question posée par
la jeune fille concernant le pendentif, il répondit
en claquant des doigts :

— C'était ce que j'avais deviné... L'affaire est
classée, n'en parlons plus !

Bien que cette réponse fût loin de la satisfaire,
Sylvaine n'osa pas insister. M. Servaize paraissait
trouver parfaitement naturelles les relations ami-
cales nouées entre sa secrétaire et ses enfants.
Mais à plusieurs reprises, Sylvaine rencontra,
posé sur elle, son regard attentif où semblait
mûrir une pensée.

Quant à Mme Servaize, elle avait autre chose
en tête. Elle se faisait soigner les dents, et cette
occupation triviale l'absorbait beaucoup. Ensuite,
les incartades de son frère Maxime lui causaient
du souci ; elle craignait qu'elles ne lui fissent
tort auprès de ses amis.

En effet, le client de Maxime ; l'Américain

amateur de demeures historiques, n'avait pas
acheté encore de château ; mais découvrant dans
l'agent d'affaires un goût identique au sien pour
les boissons alcooliques, il s'était pris pour celui-
ci d'une sympathie d'ivrogne, et ils poursuivaient ensemble, sur la Côte d'Azur, quelque chose
comme une formidable tournée des grands-ducs.
On avait de leurs nouvelles par les journaux rela-
tant les scandales qu'ils causaient dans les bars
de la Méditerranée où ils luttaient d'ébriété avec
les marins en bordée, et dans lesquels parfois les
autorités étaient obligées d'intervenir.

Sylvaine pensait avec soulagement qu'il avait
sans doute oublié son caprice pour elle. Mais à
l'improviste, il arrivait que son odieux visage
se présentât à sa pensée ; elle se rappelait le bijou
mis dans le placard avec l'évidente intention de
la faire accuser de vol ; et elle frissonnait comme
au passage d'un oiseau noir.

Un jour, alors qu'elle s'attardait dans l'antichambre à converser avec Hervé et Mona, Alix
Nadel surgit d'une porte, à sa manière silencieuse
et furtive. Elle était vêtue de noir, comme d'habitude, avec quelque chose de vert au corsage, et
très maquillée. Hervé l'interpella de sa voix
nette.

— Bonjour, Alix. Toujours déguisée en vamp ?
— Bien sûr, puisque cela convient à mon type...

La jeune femme souriait, comme à une plaisanterie habituelle, mais son regard avait cet éclat
froid que Sylvaine n'aimait pas. Tandis qu'elle
échangeait encore quelques phrases avec Hervé
et Mona, elle examinait Alix à la dérobée. Quel âge
pouvait-elle avoir ? Pas beaucoup plus de trente
ans, certainement. Son visage était lisse, sans
rides, et son corps souple dans ses robes noires
collantes... Quand elle jugea l'occasion propice,

Sylvaine se hasarda à demander à Hervé quelques détails sur Alix.

— C'est une parente éloignée, du côté de mon père ; une cousine à la mode de Bretagne, expliqua le jeune homme. Restée veuve très jeune, elle servait de dame de compagnie à une vieille tante qui est morte, d'ailleurs tragiquement, il y a quelques années.

Ainsi, elle ne se trompait pas. Alix était bien celle qu'elle supposait.

La respiration de la jeune fille s'accéléra, mais il n'y fit pas attention, et continua :

— Il s'agissait d'un crime, je crois... Je me trouvais en Afrique à ce moment-là et je n'ai pas connu les détails. Seule et sans ressources, Alix est venue à Paris où mon père lui a offert l'hospitalité. Pour vivre, elle s'est mise à faire de la céramique et, entre nous, n'y réussit pas très bien.

Il eut un léger haussement d'épaules pour ajouter :

— Vous savez, sa coiffure, son maquillage, ses robes, c'est un genre qu'elle se donne... Je la crois plutôt bonne fille...

Sylvaine ne répondit pas. Elle ne pouvait s'empêcher d'être saisie en voyant se regrouper autour d'elles les témoins ou les comparses du drame qui avait bouleversé sa vie et celle des siens. Il lui semblait par moments être environnée d'un brouillard étrange, où se débattaient des larves informes aux desseins confus...

De toutes ses forces elle chassait ces impressions. Elle préférait ignorer les ombres, les menaces qui rôdaient autour d'elle. Peut-être le destin ne lui donnerait-il pas d'autres joies que les heures qu'elle vivait actuellement, et elle ne voulait pas les assombrir.

En regagnant le triste logement où l'attendait

Mme Bréal, chaque jour plus geignante, plus puérile, et pour laquelle, à présent, il fallait payer une
voisine afin qu'elle lui tînt compagnie, Sylvaine
emportait, comme une chose précieuse, une joie
qui lui réchauffait le cœur, le souvenir des minutes
passées en compagnie d'Hervé, de son sourire, de
son regard gris penché vers elle, des paroles qu'il
lui avait dites... L'éternel espoir, celui qui n'aban-
donne ni le naufragé sur son radeau, ni le condamné
à mort, gonflait son cœur...

On était au mois de juin, Paris connaissait des
journées radieuses et bleues. Une langueur courait
dans l'air ; au Bois, dans les jardins publics, des
couples marchaient épaule contre épaule, bien
serrés l'un contre l'autre ; et ceux qui étaient
seuls semblaient se hâter vers un rendez-vous.
Les vieillards, sur les bancs, se chauffaient au
soleil ; des enfants couraient sous les arbres, avec
des cris et des rires... On eût dit qu'il y avait
pour chacun un bonheur tout neuf qu'il suffisait
de saisir...

... Jusqu'à présent, dans sa triste vie endeuillée
par une tragédie poignante, Sylvaine n'avait pas
eu le temps de penser à l'amour ; mais, dans cette
grande fête de bonheur et de renouveau, elle
oubliait toutes les impossibilités, les défenses
dressées sur sa route ; elle oubliait qu'elle s'appelait Sylvaine Bréal et traînait un lourd passé.

CHAPITRE VIII

L'odeur du café qui fumait dans les tasses emplissait le salon où, à l'exception d'Alix, retenue par son travail, et de Maxime, parti en croisière avec son Américain, la famille Servaize se trouvait réunie.

Après avoir bu les dernières gorgées de son café, M. Servaize reposa sa tasse sur un guéridon et, s'enfonçant dans son fauteuil, se mit à parcourir un journal financier ; Hervé semblait suivre un rêve dans les méandres bleus décrits par la fumée de sa cigarette, tandis que Mona, l'air affairé, triait des disques, et que Mᵐᵉ Servaize lisait des lettres, tout en donnant des signes évidents de mécontentement. Quand elle eut pris connaissance de la dernière missive, elle jeta les enveloppes à la volée, d'un geste exaspéré qui arracha son mari à la lecture de son journal et lui fit demander :

— Qu'y a-t-il ?

Elle expliqua :

— Ce sont les réponses des agences de la Côte d'Azur auxquelles je me suis adressée afin de louer une villa pour les mois de juillet et d'août.

Mona tourna vers sa mère son visage rose.

— Et alors?

— Alors, il n'y a plus rien! Nous nous y sommes pris trop tard... Nous serons obligés d'aller à l'hôtel. Il est vrai qu'il y en a d'excellents à Saint-Tropez, Sainte-Maxime, ou Cannes... en y mettant le prix, bien entendu! Il paraît que le Carlton de Cannes est très bien. Vous entendez, Jérôme?

— Le Carlton? répéta M. Servaize.

Mme Servaize eut un geste excédé.

— Oh! ne prenez pas cet air tombé de la lune! C'est agaçant, à la fin! D'ailleurs, ce qui nous arrive est votre faute! Si vous n'aviez pas tergiversé si longtemps, nous aurions une villa. Maintenant, je crois qu'il serait sage d'écrire sans tarder au Carlton, en y joignant un chèque, pour retenir nos chambres... sans oublier celle de Lucienne, la bonne que je tiens à emmener...

M. Servaize replia lentement son journal. Il avait son air sombre, et les plis verticaux de sa bouche se creusaient profondément.

— Cécile, dit-il, il faut que nous parlions sérieusement... Je reculais toujours, mais il faut y arriver.

Ces préliminaires firent froncer les sourcils à Mme Servaize.

— Qu'est-ce qu'il y a, encore?

M. Servaize soupira. Visiblement, ce qu'il avait à lui dire lui coûtait. D'une voix lasse, il reprit :

— Vous pouvez me rendre cette justice, que j'ai, jusqu'à présent, fait l'impossible pour satisfaire vos désirs... même lorsqu'ils étaient déraisonnables.

Mme Servaize tapota sur le bras de son fauteuil d'un air agacé.

— Toujours ces rengaines! dit-elle. Où voulez-vous en venir?

Cette fois, les paroles s'évadèrent de la gorge de M. Servaize.

— A ceci, dit-il. Je suis désolé de vous contrarier, Cécile, mais je ne suis pas en mesure de vous offrir ces vacances sur la Côte d'Azur.

Il prit un temps et, sans regarder sa femme, continua :

— Voyez-vous, Cécile, je crois que vous ne vous êtes jamais fait une idée exacte de notre situation, et des difficultés — parfois très grandes — que je devais surmonter pour satisfaire vos goûts de luxe et vos fantaisies. Je ne savais rien vous refuser, et vous ignoriez ce que je fus parfois obligé d'accomplir pour vous donner le bijou ou le manteau de fourrure qui vous faisaient envie.

Il se passa la main sur le front pour en chasser une souffrance, un remords peut-être, et poursuivit:

— Équilibrer notre budget a toujours été une dangereuse acrobatie... Je ne me sens plus la force de la réaliser. Pendant les mois derniers, le bureau n'a pas rapporté ce que j'en espérais, malgré l'effort considérable que j'ai fourni et qui m'a beaucoup fatigué. J'ai dû remplacer ma voiture ; le séjour à Cannes, ou ailleurs, que vous envisagez, est trop coûteux pour que je puisse en faire les frais...

Mme Servaize demeurait immobile, les yeux arrondis, le visage pétrifié de stupeur.

— C'est... une plaisanterie, Jérôme ? bégaya-t-elle.

— Hélas!

— Ne pas aller sur la Côte, après que nous l'avons annoncé à tous nos amis! Mais c'est impossible! On va nous croire ruinés!

M. Servaize hocha la tête.

— Mais, Cécile, nous n'avons jamais été riches!

A part l'héritage de la tante Anne, ni vous ni moi ne possédions de fortune...

— C'est cela! reprochez-moi de m'avoir épousée sans dot! Et devant vos enfants, encore!... C'est tout à fait délicat! glapit Mme Servaize.

La colère couperosait son teint coloré et faisait trembler ses joues un peu empâtées par l'âge. M. Servaize considéra tristement la femme qu'il avait aimée au point d'accomplir pour elle des actes qu'il regrettait.

— Loin de moi, Cécile, l'idée de vous reprocher cela, dit-il. Mais votre erreur fut de ne pas savoir vous contenter, pour vivre, de ce que je gagnais... Voyez-vous, il est temps de devenir raisonnable, de modérer nos dépenses... de renoncer à un train de vie supérieur à nos moyens... qui, d'ailleurs, sembleraient enviables à beaucoup! Avez-vous pensé à ce qui se produirait si, pour une raison ou pour une autre, je ne pouvais plus travailler? Le bureau continuerait à marcher, sans doute, à condition que le dévouement de Philippe Castelan ne nous fît pas défaut... Mais les ressources en seraient moindres. Je suis très fatigué, en ce moment, avec une tension artérielle anormale et des troubles cardiaques...

Mme Servaize ne marqua aucune alarme, ne demanda pas d'autres détails, et Hervé détourna son beau visage qui se crispait. Ceux qui ont l'âme délicate souffrent de mille manières, et il lui était pénible de constater que ce père, qu'il aimait, ne suscitait qu'indifférence chez sa femme. Jérôme Servaize reprenait :

— Le médecin me recommande du repos, et non l'excitation d'une plage à la mode. Je vous suggère donc de louer pour la saison une maison aux environs de Paris : je pourrai me reposer sans cesser de surveiller mon bureau, où je viendrai une ou deux fois par semaine, selon que ce sera utile.

Étonnée tout d'abord de la résistance inaccoutumée de son mari, la belle Cécile contenait de plus en plus difficilement sa colère. D'une voix enrouée par la fureur, elle fit :

— Une villa aux environs de Paris, comme de petits boutiquiers! Jamais je n'accepterai cela!

— Cependant...

— Nous serons ridicules, déshonorés aux yeux de nos amis... Cela fera du tort à l'avenir de Mona... Elle ne trouvera plus à se marier, honorablement.

— Qu'en savez-vous? dit M. Servaize.

Il pensait à Philippe Castelan. Mais Mme Servaize, avec un trémolo dans la voix, reprenait :

— Pauvre petite! Elle qui se réjouissait tellement d'aller dans le Midi!

Mona ouvrit tout grands ses yeux clairs.

— Moi? Pas du tout. Du moment que ça dérange papa, cela m'est bien égal de ne pas aller à Saint-Tropez ou à Sainte-Maxime!

Mme Servaize darda sur sa fille un regard furieux.

— Je devais m'attendre à être désavouée par ma fille! Sotte! Ingrate!

— Naturellement, dit Mona avec philosophie, quand il y a quelque chose qui ne va pas, c'est moi qui prends!

Une récente permanente donnait à sa tête trop bouclée une ressemblance avec celle d'un caniche. Elle rangea ses disques, puis s'assit dans un fauteuil attendant que sa mère se fût calmée et cessât de se répandre en récriminations et en gémissements, que M. Servaize écoutait avec patience mais cependant sans céder. Voyant que rien n'annonçait une accalmie, la jeune fille fit claquer ses doigts à la façon d'un écolier qui veut demander une permission.

— S'il vous plaît, est-ce que je peux dire un mot ? J'ai une idée pour les vacances...

Mᵐᵉ Servaize lançait à sa fille un regard totalement dépourvu de tendresse maternelle.

— Ce doit être quelque chose d'idiot, naturellement !

— Peut-être pas, dit Mona.

Elle prit une inspiration et lança :

— Pourquoi n'irions-nous pas habiter pendant les mois d'été au manoir du Mesnil ?

M. Servaize tressaillit.

— Dans la maison de la tante Anna ?

— Oui.

Mᵐᵉ Servaize haussa les épaules.

— C'est ce que je disais : une idiotie !

Mais Mona ne se laissa pas démonter.

— Réfléchissez, maman. Le manoir du Mesnil ne se trouve éloigné de Paris que d'une centaine de kilomètres. C'est insignifiant avec la voiture, et papa pourrait très bien venir à son bureau quand ce serait nécessaire. Le reste du temps, il travaillerait à la maison, dans le calme, en respirant l'air pur, ou bien se reposerait...

En prononçant ces derniers mots, la jeune fille glissait un regard d'intelligence vers son frère, qui leva les sourcils d'un air perplexe.

— En outre, continua-t-elle, il nous serait facile de rayonner sur les plages, de Deauville à Dieppe...

Aller au Mesnil, répétait M. Servaize avec une sorte de terreur...

Quant à Mᵐᵉ Servaize, elle réfléchissait, pesant le pour et le contre, en se plaçant au seul point de vue qui comptait pour elle : celui de la vanité ! Elle se représentait l'aspect du manoir du Mesnil, sur un fond mouvant de feuillage et d'hortensias : une construction irrégulière de briques roses à laquelle un perron à double révolution, des fenêtres

à auvents et de gracieuses tourelles en encorbelle-
ment encadrant un pignon à chevrons de bois, confé-
raient une certaine allure... Elle n'en connaissait
pas l'intérieur. La tante de Jérôme Servaize, qui
désapprouvait son mariage avec une fille d'un
rang inférieur, s'étant toujours refusée à recevoir
sa femme ; et le drame dans lequel la vieille demoiselle devait trouver la mort, survenant à un moment où la belle Cécile voyageait, n'avait suscité
en celle-ci qu'un intérêt médiocre, dirigé uniquement vers le fait que son mari héritait du manoir
et d'une somme d'argent jugée assez maigre.

Le souvenir de la mort tragique de la tante
Anna jetait sur le manoir une ombre évidemment
assez sinistre, mais ce drame datait de plusieurs
années... Cécile Servaize possédait trop peu d'imagination pour en être gênée elle-même ; et ses relations parisiennes n'en avaient probablement
jamais entendu parler.

Et elle se disait que le fait d'annoncer qu'ils
allaient passer l'été dans leur château de Normandie ferait un excellent effet, empêcherait tout
commentaire malveillant, toute suspicion concernant leur situation de fortune et, au contraire,
rehausserait leur prestige... Elle songeait qu'elle
pourrait inviter quelques amis, dont Étienne
d'Amblemont, et que cela pourrait peut-être inciter
le jeune homme à préciser ses intentions.

La vie de Cécile Servaize tournait tout entière
autour de mesquines considérations d'amour-
propre. Elle ne s'apercevait pas que son mari
avait le visage jaune et marbré des hypotendus,
ne se faisait aucun souci de sa santé et, dans le
mariage de sa fille, ne songeait pas au bonheur de
son enfant, mais à sa propre vanité, à la satisfaction orgueilleuse qu'il y aurait pour elle à dire :
« Mon gendre d'Amblemont... »

Après s'être promené de long en large pour
calmer son agitation intérieure, M. Servaize avait
fini par s'immobiliser devant la fenêtre, et il
paraissait contempler la rue. Mais sans doute ne
voyait-il rien des allées et venues des passants,
du ciel bleu, au-dessus des maisons, du soleil
qui riait sur les trottoirs et les nickels des
voitures, mais seulement des souvenirs qu'il
eût voulu oublier. Hervé s'était approché de
Mona.

— Que voulais-tu dire, tout à l'heure, avec tes
yeux en coulisse ? demanda-t-il.

— Tu n'as pas compris ?

— Non.

— Ça m'étonne, dit Mona. Tu es plutôt dé-
gourdi, en temps ordinaire...

Elle le regarda malicieusement.

— Tu vas voir...

Ayant fini d'aligner, dans sa cervelle futile, les
raisons mineures qu'elle trouvait d'aller au Mesnil,
Mme Servaize prit la parole :

— Après tout, Mona, dit-elle, ton idée n'est
peut-être pas si mauvaise !

La jeune fille se rengorgea.

— N'est-ce pas ?

— Nous pourrions très bien passer tous les
mois d'été au manoir.

— Mais, Cécile...

M. Servaize, se détournant de la fenêtre, posait
sur sa femme des yeux dont les lunettes cachaient
l'expression.

— Mais, Cécile, avez-vous pensé que la maison
est inoccupée depuis quatre ans ? Elle était en bon
état, mais, pendant tout ce temps, l'humidité a
dû faire des ravages.

— Si vous vous en étiez occupé, il n'en serait
pas ainsi, remarqua Mme Servaize. Je suppose que

les gardiens ouvrent tout de même les fenêtres
pour aérer?

— Je le pense, murmura M. Servaize.

— C'est-à-dire que vous n'en savez rien!

Mais, quand elle s'était mis une chose en tête,
la belle Cécile n'en démordait pas facilement. Elle
ne s'inquiétait pas du manque d'enthousiasme de
son mari et s'en apercevait à peine. Sa basse origine
lui faisait considérer comme suprêmement distingué
et enviable le fait de se parer du titre de châtelaine du Mesnil, et elle se complaisait de plus en
plus dans l'idée de jouer ce rôle vis-à-vis de ses
amis. Elle envisageait de se commander, sans
plus attendre, du papier à lettres à en-tête :
« Manoir du Mesnil », et cela la consolait de ne
pouvoir aller exhiber ses ensembles de plage sur
la Méditerranée et côtoyer à Cannes des per-
sonnalités en vogue.

— Il faut écrire tout de suite aux gardiens afin
qu'ils commencent à nettoyer, reprit-elle. Ensuite,
nous enverrons notre bonne, quelques jours avant
notre arrivée.

M. Servaize respira longuement, profondément.

— Il y a... ce crime, dit-il. L'avez-vous oublié,
Cécile?

— Non... dit Mme Servaize. Mais... c'est de
l'histoire ancienne.

Elle eut un geste qui balayait.

— Depuis quatre ans, qui s'en souvient, aujourd'hui? Ne soyez pas si timoré, mon ami.

Jérôme Servaize se tut. Il comprenait qu'il
insisterait vainement, qu'il lui faudrait s'incliner devant la volonté de sa femme, à laquelle
il ne pouvait opposer d'objection raisonnable.
D'ailleurs, puisqu'il n'avait jamais trouvé d'ac-
quéreur pour cette maison isolée, sur laquelle
planait l'ombre de ce drame, ne devait-il pas

s'attendre à être obligé d'y retourner, un jour ou l'autre? C'était fatal, inéluctable. On ne se débarrasse pas si facilement du passé... Ne venait-il pas d'en faire récemment l'expérience! Les événements, une fois de plus, s'enchaînaient comme par une volonté supérieure. Avec une lassitude accablée, il se laissa retomber sur son fauteuil.

— Nous pourrons inviter quelques amis, reprit Mona, d'un petit air innocent. Etienne et sa cousine, par exemple. Je sais qu'ils doivent aller à Deauville. Et, bien entendu, il faudra que Sylvaine vienne au Mesnil, pour aider papa.

Elle ne put retenir un petit sourire en voyant le visage de son frère s'illuminer. Mais Mme Servaize faisait d'un ton railleur :

— L'inévitable Mlle Sylvaine! Je ne comprends vraiment pas pourquoi vous vous en êtes tous entichés... Moi, je la trouve assommante et poseuse. Elle se donne des airs!... La robe qu'elle portait à la soirée était beaucoup trop élégante pour sa position de « jeune fille méritante », comme vous dites!

La vision de Sylvaine dans sa robe couleur de ciel nocturne, avec son fin visage auréolé de cheveux cendrés, image de rêve et de beauté, flotta devant les yeux d'Hervé ; le souvenir des minutes enchantées où leurs âmes s'étaient frôlées et reconnues gonfla le cœur du jeune homme. Une rapide rougeur courut sur son beau visage basané.

— Parce qu'elle est pauvre, n'aurait-elle pas le droit d'être un peu coquette, comme les autres femmes? dit-il.

Une colère vibrait dans sa voix, et il regarda durement sa belle-mère... Qu'elle ne s'avisât pas de toucher à Sylvaine, cette créature grossière! Le jeune homme adorait sa sœur cadette, pardonnait à son père son remariage, mais n'avait jamais pu vouer à sa belle-mère autre chose qu'une aversion dissimulée, que le manque de cœur et de délicatesse de la belle Cécile réveillait souvent. Elle eut un mince sourire.

— En tout cas, dit-elle, elle a un défenseur en toi !

Le jeune homme ne répondit pas, et Mona prit la défense de son amie.

— La robe de Sylvaine venait de sa mère, dit-elle. Elle ne lui a rien coûté ! Et il ne faut pas lui reprocher de jouir un peu de sa beauté... Elle est si jolie !

Mme Servaize n'aimait pas qu'on vantât le charme d'une autre femme.

— Vous êtes tous stupides avec la beauté de cette Sylvaine, dit-elle.

Mais les projets qu'elle formait l'inclinaient à l'indulgence.

— Enfin, si vous voulez l'inviter au Mesnil, c'est votre affaire !...

— Il me serait difficile de m'en passer si je dois travailler, murmura M. Servaize. J'espère qu'elle acceptera de venir... Je vais le lui demander dès aujourd'hui.

Mme Servaize haussa les épaules.

— Que d'embarras vous faites pour cette fille ! dit-elle. Soyez assuré qu'elle ne refusera pas pareille aubaine.

Avec un sourire dédaigneux, elle ajouta :

— Vivre dans un château pendant deux ou trois mois, cela ne lui est jamais arrivé, certainement !

Et comme elle était, pour les dépenses qui ne la concernaient pas personnellement, d'une avarice sordide, elle acheva :

— Bien entendu, il faudra lui retenir sa nourriture sur ses appointements...

Sans répondre à cette dernière phrase, M. Servaize se tourna vers son fils.

— Que penses-tu de ce projet, Hervé? demanda-t-il. Est-ce que cela te plairait, de passer l'été au Mesnil?

Le jeune homme s'accorda, hypocritement, le temps de la réflexion, pour répondre :

— Oui, cela me conviendrait...

— Alors... c'est entendu, dit M. Servaize. Nous irons là-bas...

Et, comme rompu, il s'affaissa un peu plus sur son fauteuil. La rumeur des voitures, un peu assourdie par l'heure du déjeuner, reprenait et évoquait le bruit de la mer. La chaleur entrait par la fenêtre ouverte, en larges ondes ; le soleil se reflétait sur les meubles, faisait scintiller une icône de bois doré, mise là par Mme Servaize parce que cela faisait moderne, et qui, avec les fauteuils verts, évoquait vaguement un décor... Mona souriait en regardant son frère du coin de l'œil. Avec ses cheveux trop frisés, elle ressemblait à un gentil caniche qui a réussi un tour et attend d'être félicité. Hervé lui rendit son sourire. Ni l'un ni l'autre ne songeaient que la trop grande complaisance du destin à servir leurs desseins pût cacher un piège.

*
* *

— Mademoiselle Sylvaine, dit M. Servaize un peu plus tard, j'ai une nouvelle à vous apprendre... et quelque chose à vous demander...

Il était assis devant son bureau et affectait de ranger des papiers. L'ombre du marronnier défleuri verdissait son visage et creusait ses joues. La jeune fille leva la tête de sa machine à écrire.

— Je suis à votre disposition, monsieur.

— Merci... Voici ce dont il s'agit. Nous avons décidé, ma femme et moi, à cause de ma santé, de quitter Paris pendant les mois d'été.

Sylvaine pâlit, tout le sang reflué au cœur... Hervé ne pouvait manquer d'accompagner ses parents. Elle allait donc être privée de sa présence pendant longtemps, plusieurs mois... Elle quittait brusquement le rêve dans lequel elle vivait pour retomber dans la réalité ; il lui sembla que toute joie s'éteignait en elle, qu'un souffle glacé faisait s'enfuir l'espérance... Elle joignit les mains, les pressa contre sa poitrine, d'un geste incontrôlable...

— Oui, nous irons résider dans une propriété que nous possédons en Normandie, reprit M. Servaize.

Il y eut un silence, comme au théâtre, lorsque se prépare un effet ; puis, sans regarder la jeune fille, il ajouta :

— Elle se trouve à une centaine de kilomètres de Paris, pas très loin de Rouen, et s'appelle Le Mesnil.

— Le... manoir du Mesnil! répéta Sylvaine.

— Oui.

M. Servaize prit un coupe-papier et le considéra avec attention. Sans doute était-ce pour éviter de regarder la jeune fille, car il n'ignorait pas qu'elle serait impressionnée par le nom de la propriété. Et Sylvaine était trop préoccupée pour remarquer le trouble de son interlocuteur, le tremblement de ses mains qui tenaient le coupe-papier. Quelques minutes s'écoulèrent, puis, de sa voix sourde qui ne révélait rien de ses émotions, M. Servaize reprit :

— J'ai l'intention de travailler là-bas, et j'aurai besoin de vos services. Je pense que vous ne refuserez pas de venir au Mesnil remplir votre emploi...

A cette phrase, la jeune fille se ranima comme un malade épuisé auquel on tend un verre d'eau. Une lueur brilla dans ses yeux. Toujours sans la regarder, M. Servaize continua :

— La maison est grande, on peut y loger de nombreux hôtes... Et Mona, à qui vous êtes très sympathique, sera enchantée de vous ovoir...

... Il y eut un nouveau silence, plus lourd, plus chargé de pensées secrètes... Le visage de Sylvaine s'illuminait et s'éteignait tour à tour... Comme il était tentant d'accepter, malgré tout ce que ce nom du Mesnil évoquait pour elle, afin de ne pas quitter Hervé, de le voir chaque jour, de vivre auprès de lui dans sa propre demeure! Mais d'arides devoirs la retenaient... Péniblement, elle murmura :

— Je crains de... ne pouvoir vous accompagner, monsieur.

— Pourquoi ?

... Elle n'avait pas encore complètement repris ses forces et une sueur d'émotion et de faiblesse perlait à la racine de ses cheveux blonds.

— C'est à cause de ma grand-mère, monsieur, expliqua-t-elle. Elle est... très âgée, et demande des soins presque constants. Je ne puis la laisser seule.

— J'ai pensé à cela, dit M. Servaize. Il se trouve que je connais le directeur d'une maison de retraite pour vieillards située à Vincennes. C'est une institution privée ; les pensionnaires y sont très bien, et je suis sûr que, sur ma recommandation, on y prendrait votre grand-mère.

Avec embarras, Sylvaine murmura :

— Mais... cela doit coûter cher ?

De sa manière brusque, M. Servaize répondit :

— Ne vous préoccupez pas de cela!... Vous n'aurez rien à payer, je m'arrangerai avec le directeur...

La jeune fille le regarda profondément.

— Monsieur... pourquoi êtes-vous si bon avec moi?

— Pourquoi je suis si bon? répéta-t-il.

... Il fumait rarement, mais peut-être pour se donner une contenance, il alluma une cigarette, en tira une bouffée, puis la déposa sur un cendrier où elle se mit à décrire dans l'espace des arabesques de fumée où peut-être s'inscrivait une réponse à la question de Sylvaine. M. Servaize demeura un instant les yeux fixes, puis, avec un bizarre sourire, cauteleux et souffrant, il fit :

— Je ne suis pas bon. Je suis, comme beaucoup d'hommes, un mélange de bon et de mauvais. Cela dépend souvent, voyez-vous, des circonstances, des tentations placées sur votre chemin.

Il parlait comme si, déjà, il préparait sa défense devant un juge insensible. Et peut-être y avait-il dans ses actes non seulement le souci de faire bien, un désir de rachat, mais aussi une sorte de subtil calcul. Il enleva et remit ses lunettes avant de dire :

— Cette question réglée, je pense que rien ne vous empêche d'accepter ma proposition de venir au Mesnil.

— C'est-à-dire...

Sylvaine serrait machinalement entre ses mains le petit mouchoir dont elle venait d'essuyer son front. Elle hésitait, comme si cette décision à prendre était d'une gravité exceptionnelle, comme si elle pressentait qu'elle allait rencontrer là-bas, non seulement des souvenirs douloureux et l'occasion de remplir une mission sacrée, mais aussi le plus terrible dilemme, le plus poignant cas de conscience...

Une saute de vent fit frissonner les feuilles du

marronnier et se cogner les battants de la fenêtre. La jeune fille respira profondément l'air léger
et parfumé. Ah! être heureuse encore un peu!
Ne pas renoncer si tôt à son rêve! Vivre ces
quelques mois auprès d'Hervé! Ses dernières
hésitations s'envolèrent. Elle ramena vers son
patron son tendre et profond regard.

— C'est entendu, monsieur, dit-elle. J'irai
avec vous au Mesnil... et je vous remercie.

Les rets de la fatalité se resserraient, les an-
neaux de la chaîne s'ajoutaient les uns aux autres... Mais parfois le destin se trompe et la main
de la vengeance frappe des victimes innocentes.

CHAPITRE IX

... Ce matin-là, dès qu'elle fut éveillée, Sylvaine se leva, bien qu'il fût tôt encore. Mais, après le repos nocturne, la vie renaissait dans la nature : les oiseaux chantaient dans les arbres, les pinsons et les chardonnerets égrenaient leurs trilles joyeux auxquels répondait en écho le chant des coqs d'une basse-cour voisine ; la brise qui entrait par la fenêtre était légère et parfumée, et les premiers rayons du soleil, se dégageant du brouillard, doraient les meubles anciens, les sombres parquets, et révélaient impitoyablement les taches des murs. La jeune fille procéda à une rapide toilette, puis elle sortit doucement et se trouva dans un corridor tortueux sur lequel donnaient plusieurs portes.

La maison était complètement silencieuse en raison de l'heure matinale ; tout le monde, au Mesnil, dormait encore. Suivant les prescriptions de son médecin, M. Servaize demeurait étendu le plus qu'il pouvait. Quant à sa femme, elle adorait paresser au lit, malgré sa tendance à engraisser et les avis des instituts de beauté. Enfin, par manière de représailles envers le pensionnat où

l'on obligeait les élèves à se lever à six heures,
hiver comme été, et à se laver à l'eau froide, Mona
se délectait à faire la grasse matinée, tout comme
à faire sa toilette à l'eau bouillante. Le seul hôte
du Mesnil que Sylvaine risquait de rencontrer
était Hervé ; et elle ne le désirait pas.

Elle préférait être seule pour tenter cette expédition projetée depuis son arrivée, qui datait
déjà de trois semaines, et qu'elle n'arrivait jamais
à réaliser, faute de liberté. Mme Servaize, en effet,
la chargeait de mille petites corvées qu'elle n'osait
refuser et qui absorbaient une bonne partie des
moments de loisir laissés par son travail de secré-
tariat ; et la jeune fille ne trouvait pas d'excuses
valables pour refuser d'accompagner Hervé et
Mona dans les promenades et excursions auxquels
ils la conviaient. Elle avait donc imaginé de se
lever plus tôt pour entreprendre enfin ce pèlerinage dont elle éprouvait chaque jour le plus
poignant désir.

Veillant à ne faire aucun bruit, elle longea le
couloir.

Le Mesnil était vraiment une très vieille maison, avec des corridors sombres et étroits, des
recoins inattendus, des marches qu'il fallait monter et descendre sans savoir pourquoi, des pla-
cards innombrables, de profondes alcôves, des
chambres et des cabinets de dimensions capri-
cieuses...

Sylvaine connaissait le nombre et la disposition des pièces ; elle eût pu se diriger sans hési-
ter le long des ténébreux corridors, car autrefois,
enfant et fillette, elle venait très souvent dans
cette maison où on l'accueillait avec indulgence ;
les meubles étaient les mêmes et, pour la jeune
fille, des souvenirs, des images se levaient dans
lesquels elle ne savait pas déchiffrer le secret des

années passées dont elle portait le poids... Après
avoir descendu l'escalier avec les mêmes précautions de silence, elle se trouva dans le vestibule
qui coupait le rez-de-chaussée dans toute sa
largeur...

... Lorsqu'elle était arrivée au Mesnil, un mois
plus tôt, Mme Servaize avait senti chanceler son
orgueilleuse satisfaction de se dire châtelaine.
Le manoir, en effet, n'offrait pas un aspect enga-
geant, avec ses murs verdis, rongés d'humidité,
son perron à demi caché par les arbres, près
duquel se distinguaient à peine de pâles hortensias dégénérés, ses allées envahies par les ronces,
sa pelouse inculte submergeant les massifs dans
lesquels des rosiers qu'on ne taillait plus tendaient
vers le ciel leurs branches épuisées...

Car la gardienne, une veuve nommée Marie
Dumu, qui habitait avec son fils à demi idiot
une dépendance du manoir où elle vivait chiche-
ment d'un peu d'élevage, s'était bien gardée de
faire les nettoyages demandés, dans le but sournois de décourager les propriétaires du Mesnil
— des Horsains, selon le langage normand — de
l'idée saugrenue de la déranger dans ce qu'elle
avait pris l'habitude de considérer comme son
domaine.

Et puis, s'avisant qu'elle trouvait un avantage
appréciable à leur vendre son lait et ses œufs
plus cher qu'à Rouen, et qu'elle pouvait en outre
faire des heures de ménage bien payées, sa mauvaise volonté fléchit. Elle commanda à son fils
Abel d'arracher les orties, de tailler les ronces.
Dégagé, le perron montra sa courbe élégante ;
les hortensias tendirent leurs boules roses, on
retrouva le dessin des allées et des géraniums
décorèrent les plates-bandes. A présent, Mme Servaize pouvait recevoir ses invités en toute quié-

tude. Etienne d'Amblemont avait accepté l'invitation ainsi que sa cousine ; Alix et Philippe viendraient également passer les vacances. De Maxime, on ne savait plus rien !

— ... Onjour....

Sylvaine leva la tête : Abel Dumu se tenait devant elle ; il balançait une énorme cisaille avec laquelle il coupait les épines, et une espèce de sourire se dessinait sur sa laide face aux traits informes et comme ébauchés, où les yeux semblaient posés au hasard... Un bec-de-lièvre lui donnait une grande difficulté de prononciation, et son intelligence ne paraissait pas dépasser celle d'un animal domestique. Sa mère le traitait durement et il ne connaissait guère que les moqueries et les mauvais traitements. Cependant, son imbécillité ne l'empêchait pas d'éprouver des sentiments, car il témoignait à Sylvaine une sorte d'adoration ; peut-être parce qu'elle lui parlait gentiment, à moins que son instinct animal ne lui eût fait deviner que, comme lui, elle était malheureuse et solitaire.

— Bonjour, Abel, dit la jeune fille.

Elle fit à l'innocent un petit sourire amical qui parut le combler d'aise et continua son chemin. Elle prit une allée qui s'enfonçait dans le parc retourné à l'état sauvage, avec cette exubérance de végétation propre à la forêt normande et où des roseaux, des herbes, cachaient parfois de profonds étangs. Ici comme à l'intérieur de la maison, des souvenirs, des images, jaillissaient, pour Sylvaine, de chaque bouquet d'arbres, de chaque taillis, de chaque tournant de l'allée. Et elle éprouvait une jouissance amère et douce à se retrouver dans cette région, à marcher sous ces ombrages, à respirer cet air...

Continuant sa marche, elle fut bientôt hors

du parc et se trouva sur une route qui serpentait entre des prairies délimitées par des haies et sur lesquelles des pommiers étendaient leurs branches. Des vaches meuglaient en secouant leurs fanons sous la garde d'une vieille femme au front serré par l'étroit bonnet normand ; des poulains lâchés fôlatraient, crinière au vent, et hennissaient d'une voix grêle. Tout au loin, tel un rempart défendant l'approche de Rouen, s'étendait la masse d'une haute falaise dressée contre le ciel ; et, d'avoir frôlé les vagues, le vent avait pris une odeur salée, un goût de varech.

Sylvaine avançait péniblement parmi les champs, les vergers, les clos de pommiers où, de temps en temps, se distinguait un bâtiment de torchis à toit de chaume. Elle savait où elle allait et bientôt ralentit, car elle était arrivée.

Une maison se dressait au milieu d'un jardin : une villa assez vaste, d'apparence cossue, ornée d'un pignon au toit couvert de tuiles. A quelque distance, dans un terrain cerné de palissades, on voyait des hangars, aujourd'hui en ruine, qui, autrefois, devaient bruire du ronflement des machines, des allées et venues des ouvriers et qui, aujourd'hui, se taisaient. Par les baies aux vitres brisées, on pouvait plonger dans les ateliers déserts. Sur les palissades, des lettres à demi effacées permettaient cependant de déchiffrer un nom, une enseigne : « Scierie Ch. Bréal... »

La maison était habitée, des rideaux garnissaient les fenêtres. Sylvaine s'approcha pour mieux la contempler.

« Ma maison... mon jardin... » murmura-t-elle.

... Elle joignit les mains et une larme coula sur sa joue.

C'était là qu'elle avait vécu une enfance comblée, choyée par la tendresse de ceux qui l'entou-

raient : sa grand-mère, bien différente alors de
ce qu'elle était aujourd'hui, son père joyeux et
fort, sa jolie maman... Elle ne pouvait croire que
cela fût révolu à jamais... La figure si douce, si
tendre de sa mère n'allait-elle pas s'encadrer dans
une de ces fenêtres comme autrefois ? Un écho
attardé de sa voix, de son rire, ne demeurait-il pas
dans un coin bien protégé du jardin ? La jeune fille
s'agrippa à la barrière, plongea son regard nostal-
gique dans les ombrages...

Mais elle n'entendit que le murmure indifférent
du vent qui soufflait à travers les bosquets, car les
voix de ceux qui ne sont plus ne peuvent être
perçues des vivants ; et ce fut une grosse femme à
visage vulgaire qui parut à une fenêtre. Étonnée
de la curiosité de cette passante, elle lui jeta un
regard hostile ; et Sylvaine, chassée du paradis
perdu, s'enfuit...

... Elle marcha un certain temps sur le chemin
du retour, puis, fatiguée par la longueur de sa
course et l'émotion de ses souvenirs ravivés, elle
se laissa tomber sur un banc de pierre placé à
l'orée du parc du Mesnil, au milieu d'un carrefour
sur lequel se croisaient plusieurs allées. Et elle y
demeura immobile, les yeux perdus... Elle se
sentait plus seule et plus triste que jamais, et sans
forces pour secouer son chagrin. Tout, autour
d'elle, était paisible, un grand chêne abritait son
siège ; des rayons de soleil glissaient entre les
feuilles pour se poser sur l'herbe verte où se hâtaient
des insectes pressés ; un vent léger faisait osciller
les ombelles et éparpillait les graminées qu'il emportait dans sa course. Oh! pourquoi les peines
remuées ne s'envolent-elles pas sous le souffle du

vent, mais écrasent au contraire le cœur de leur
poids plus lourd ? Accablée de chagrin, la jeune
fille se prit le front entre ses mains.

... Un bruit de branches mortes craquant sous
un pas l'arracha à sa songerie pénible et lui fit
lever la tête... Sur le vert d'une allée dont les
arbres en se rejoignant formaient dôme, elle vit
se profiler la silhouette d'Hervé. Il avançait de sa
démarche aisée et élégante et fumait une cigarette dont la fumée s'évanouissait dans l'air.
Toujours il survenait au moment où Sylvaine
éprouvait le besoin urgent d'un réconfort ; et rien
qu'à contempler la ligne de son front et le dessin
de ses lèvres, la jeune fille se décontractait.

A un bruit qu'elle fit, le jeune homme l'aperçut,
et un sourire parut sur son beau visage brun.

— Sylvaine ! Enfin.

Il s'avança rapidement.

— Savez-vous que je vous cherche depuis des
heures ? fit-il. Je commençais à me demander où
vous étiez passée !

Elle répondit, un peu évasivement :

— J'étais ici, comme vous le voyez... J'ai fait
une longue promenade, puis, comme j'étais fatiguée,
je me suis assise sur ce banc pour me reposer. Cet
endroit est charmant.

— Tout à fait, approuva Hervé.

Il prit place près d'elle, sur le banc, tout en
disant :

— Vous aimez la nature ?

— Beaucoup.

— Je l'aurais deviné.

Il y eut un silence... Le jeune homme regardait
Sylvaine. Elle portait une petite robe très simple
de coton imprimé qui la faisait paraître plus jeune
et qui l'apparentait aux plantes, aux fleurs, aux
herbes fragiles malmenées par le vent. Il y avait

en elle quelque chose d'émouvant, de mystérieux, et Hervé pensait à ces contes dont la lecture berçait son enfance, où scintillaient les pierreries de trésors qu'on découvrait, et les blondes chevelures des princesses captives... Sous le regard posé sur elle, Sylvaine rougit et abaissa sur ses prunelles sombres le rideau palpitant de ses longs cils... Une émotion troublante naissait entre eux dont la jeune fille voulut se défendre. D'une voix un peu oppressée, elle fit :

— Je crois que... je ferais bien de rentrer.

Il s'étonna.

— Si vite ? Ne sommes-nous pas bien ici ?

— Certes... Mais...

Sylvaine, qui avait fait un mouvement pour se lever, reprit sa place, tout en s'en voulant de sa faiblesse. Mais comment dire à Hervé qu'elle redoutait d'être seule avec lui ? Elle s'efforça de sourire pour expliquer :

— Je me suis octroyé la permission de la matinée ; mais il ne faut pas abuser... M. Servaize a peut-être du travail à me donner...

Il secoua la tête.

— Je ne pense pas. Ma belle-mère a réussi à l'entraîner déjeuner au Tréport, où se donne je ne sais quelle fête. Elle ne peut rester tranquille ; il lui faut voir du monde... et surtout se montrer...

— Elle est belle, c'est une excuse, murmura Sylvaine.

Le jeune homme eut une moue.

— Elle l'a été... du moins pour ceux qui aiment le genre pachyderme.

Il jeta sa cigarette qu'il écrasa du pied.

— Cette femme, voyez-vous, est une anthropophage. Dans son avidité de plaisirs, elle dévore littéralement la vie de mon père, qui a le plus grand besoin de repos.

Sylvaine reconnaissait la justesse de ces remarques, mais elle se dispensa de commentaires qui auraient inutilement envenimé la rancœur d'Hervé ; elle demanda :

— Mona les a sans doute accompagnés?

— Non, dit Hervé. Elle attend Étienne d'Amblemont et sa cousine qui ont annoncé leur venue pour un jour de cette semaine, — sans préciser lequel, — ce que je trouve, entre parenthèses, un peu désinvolte. Et dans la crainte de manquer leur arrivée, elle ne se décide pas à s'absenter et contemple « l'herbe qui verdoie et la route qui poudroie », telle la septième femme de Barbe-Bleue, dans l'espoir de voir surgir à l'horizon la voiture qui amènera ses amis...

Le silence à nouveau tomba. L'air vibrait d'un bourdonnement d'insectes ; l'odeur sucrée des sèves de bouleau et de frêne, la senteur des feuilles vertes, se mêlaient à l'âcreté des écorces humides de l'humus et des résines chaudes pour composer un parfum grisant ; l'ombre déversée sur la tête des jeunes gens par le grand chêne séculaire était chaude et capiteuse. Et, dans le silence où palpitaient leurs jeunes vies ardentes, une troublante atmosphère se formait.

— Sylvaine... murmura le jeune homme.

... Au timbre de sa voix, elle tressaillit. Elle comprenait que l'instant de l'aveu était venu. Elle savait que cela viendrait, mais elle n'avait pas imaginé que ce serait ainsi, que la voix d'Hervé aurait cette intonation basse et ardente, et son regard gris cette douceur qui la grisait... Et cela rendait le sacrifice plus difficile ; il lui faudrait accueillir l'aveu de l'amour d'Hervé par des paroles de renoncement, car elle n'avait pas droit au bonheur. Tel était son destin. Pour toute jeune fille, la certitude de se savoir aimée eût été une joie, un triomphe, un émerveillement ; pour elle, c'était une immolation. Comme les jours heureux avaient été courts ! De toutes ses forces, elle eût voulu retenir cette période bienheureuse où elle jouissait de l'amour d'Hervé, prolonger le silence nécessaire à l'enchantement...

— Sylvaine... répéta Hervé.

Elle leva la main pour arrêter sur ses lèvres les paroles qu'il allait prononcer et, très bas, murmura :

— Taisez-vous... ne parlez pas...

— Pourquoi ?

Elle frissonnait comme un arbrisseau dans la tempête, et il remarqua :

— Comme vous tremblez ! Est-ce que je vous fais peur ?

— Oui... j'ai peur... dit-elle.

Et, en effet, une terreur la prenait devant le combat qu'elle devait soutenir, les paroles qu'il lui faudrait dire.

— Pourtant, dit-il, vous savez bien que rien de mauvais ne peut venir de moi... parce que vous avez bien compris quels sentiments s'agitent dans mon cœur... quelles paroles se pressent sur mes lèvres... et que vous ne pouvez ignorer que je vous aime!...

Il lui parlait de très près, d'une voix profonde et caressante ; son souffle effleurait sa joue, son épaule touchait la sienne et, à travers l'étoffe, elle sentait sa tiédeur...

— Je vous ai aimée dès le premier regard, reprit le jeune homme, pour votre beauté, pour l'image de féerie que vous m'avez donnée le soir de mon retour, comme une récompense et une consolation.

Elle fermait les yeux, bercée par la pénétrante caresse de ces mots, grisée par le contact de son épaule contre la sienne, oubliant l'abîme qui existait entre elle et le bonheur, prise de faiblesse.

— Et ensuite, poursuivit Hervé, je vous aime pour votre courage et votre gravité, pour ce que je devinais de votre âme fière et digne, et aussi pour la souffrance que je sentais en vous, malgré votre souci de la tenir cachée. Et aujourd'hui, je vous dis : « Sylvaine, je vous aime. Vos soucis, que je sens si lourds à vos épaules, nous serons deux à les porter, si vous acceptez d'être ma femme... »

Il prit entre les siennes les mains de la jeune fille.

— Dites, chérie, le voulez-vous ?

Tout d'abord, elle bougea les lèvres sans pouvoir émettre aucun son, se contentant de remuer la tête, lentement, de droite à gauche, dans un signe de dénégation. Enfin, elle parvint à prononcer :

— Ce n'est pas possible, Hervé.

Et le regard qu'elle posait sur lui était poignant et avide comme le baiser qu'on donne à un être adoré au moment de le quitter pour toujours.

— Je n'ai pas le droit de vous aimer, Hervé, reprit-elle. Ce serait pour moi le bonheur, d'être votre femme. Mais mon chemin n'est pas celui des autres jeunes filles, et le bonheur n'est pas pour moi...

En même temps, elle cherchait à dégager sa main, mais l'étreinte qui la retenait était puissante et douce. Le jeune homme dit sur un ton de reproche :

— N'auriez-vous pas confiance en moi ? Vous défieriez-vous de mon cœur ?

Elle tourna vers lui ses yeux pathétiques.

— Je sais que vous êtes loyal et chevaleresque, Hervé, mais ma tâche n'est pas de celles qu'on partage, mon fardeau de ceux dont on puisse se décharger...

Elle dut reprendre des forces pour ajouter :

— Une autre vous aimera comme je ne puis le faire...

... Elle pensait à Jenny Martray, la cousine d'Étienne d'Amblemont, une jolie fille avec laquelle elle avait vu parfois Hervé et que son intuition d'amoureuse lui faisait soupçonner éprise du jeune homme. Cependant, à la pensée de renoncer à lui, Sylvaine éprouvait une douleur si cruelle que, sur les derniers mots, sa voix faiblit. Hervé secouait la tête.

— C'est vous que j'aime, Sylvaine, et non une autre, dit-il. Dites-moi votre peine, confiez-moi votre secret ; je me sens de force à combattre toutes les difficultés, à enlever tous les obstacles. Quand on aime, voyez-vous, on n'a qu'une pensée, qu'un cœur : on met tout en commun, soucis et joies, bonheur et peines... et il n'est pas de fardeau, bien-aimée, qui ne soit plus léger quand on le porte à deux...

Elle fit avec désespoir :

— Il y a des cas où le plus tendre dévouement est impuissant... des obstacles contre lesquels se brise l'amour.

Il eut son rayonnant sourire.

— Non, Sylvaine, un amour sincère est plus fort que tout. Faites-moi confiance, chérie. Dites-moi ce secret qui vous étouffe...

... La paix des choses les enveloppait, le silence était à peine troublé par l'aboi lointain d'un chien dans une ferme ou un chant d'oiseau perché. Le soleil avait absorbé toute l'humidité nocturne et mettait un point d'or au bout de chaque tige, de chaque brin d'herbe. Sylvaine regarda un instant la campagne si paisible autour de son âme agitée et poussa un profond soupir.

— Soit, fit-elle, je vais tout vous dire... Et c'est

vous tout à l'heure qui me repousserez, car vous
jugerez notre union impossible.

— Rien n'entamera mon amour pour vous,
Sylvaine, dit-il gravement.

Mais, maintenant, elle avait hâte de parler, de
se libérer de ce secret trop longtemps gardé.

— Il s'agit de... mon père, dit-elle.

Il hocha la tête.

— Je m'en doutais. Il est à... l'étranger, m'avez-
vous dit ?

Elle fit un signe de dénégation.

— Non.

Le jeune homme se rappela ce que Mona lui
avait déclaré avoir soupçonné et déduit ; il comprit
qu'il allait toucher à un drame poignant et sa voix
se fit plus douce encore :

— Il est... dans une maison de santé, peut-être ?

Elle se taisait, et il reprit :

— Il ne faut pas vous exagérer l'importance
de ces... choses, ni les prendre au tragique.

« Toutes les maladies se soignent, même les
maladies... mentales. Et... de récents travaux
prouvent que l'hérédité ne joue pas, dans la plupart
des cas.

Sylvaine avait réussi à arracher sa main à
l'étreinte qui la tenait prisonnière. Elle entre-
croisa ses doigts et, tournant vers lui ses yeux
pleins d'une douleur affreuse, elle dit :

— Mon père n'a jamais été à l'étranger, ni dans
une maison de santé. Il est à la prison de Poissy, où
il purge depuis cinq ans une peine de dix années de
réclusion à laquelle il fut condamné par la cour
d'assises de Rouen pour meurtre de M\ue Anna
Chandonnay, sa marraine, propriétaire du Mesnil
et tante de votre père!

* *
*

Un oiseau chanta. Il faisait bon à l'ombre du grand chêne, dans cette solitude ardente où flottait l'odeur des résines chaudes et de la terre grasse. Pourquoi ne pas rester ainsi toujours? Mais non, il fallait parler... Sylvaine respira profondément, comme pour prendre son élan avant un grand effort à accomplir, et commença :

— En effet, un singulier concours de circonstances m'a ramenée dans ce pays où je suis née, où j'ai vécu mon enfance et ma première jeunesse, car la maison où habitaient mes parents avant le drame qui bouleversa notre existence se trouve à quatre ou cinq kilomètres à peine du Mesnil. En venant, je savais que j'allais retrouver des souvenirs pénibles, mais aussi l'occasion de faire un pèlerinage à des endroits chers à mon cœur et, quand nous nous sommes rencontrés, j'arrivais de visiter ces lieux qui furent témoins des moments heureux de ma vie...

Elle s'était écartée d'Hervé pour fuir le contact, auquel elle n'avait plus droit, du bien-aimé déjà perdu ; et elle poursuivit :

— Car nous formions un foyer heureux, ma grand-mère, ma mère, mon père et moi. Une atmosphère d'amour et de joie flottait dans notre maison que je n'ai retrouvée nulle part. Mon père et ma mère s'adoraient, tout en formant, au physique, un contraste absolu. Mon père avait la haute taille, les cheveux blonds, les yeux bleus et le teint coloré des Normands, tandis que ma mère, connue au cours d'un voyage, tenait de son ascendance méridionale sa chevelure et ses yeux sombres. Pour suivre mon père dans son pays, elle avait quitté sans regrets sa Provence ensoleillée ; mais elle emportait le soleil avec elle et on le retrouvait dans l'éclat de ses prunelles, la vivacité de ses gestes, son sourire et l'accent chantant dont elle ne put jamais se défaire. Elle aimait la gaieté, les chansons, les fleurs dont elle emplissait le jardin ; je la voyais toujours en train de rire ou de chanter...

La jeune fille resta un instant rêveuse.

— Oui, soupira-t-elle, nous étions heureux, dans la villa, près de la scierie installée par mon père et dont le rapport nous permettait juste de vivre, car mon père était trop naïf pour se montrer adroit homme d'affaires et s'enrichir. Aux spéculations, aux âpres discussions d'intérêt, il préférait les chansons de sa femme. Et notre bonheur se passait très bien de fortune... Peut-être eût-il fallu le cacher, comme, dit-on, font les Chinois, afin de ne pas tenter les mauvais génies avides de le détruire... Car le malheur allait pénétrer dans notre vie, de la manière la plus horrible, la plus inattendue...

Elle parlait d'une voix volontairement sèche et dépourvue d'émotion, mais qui, par moments, se cassait.

— Une amie d'enfance de ma grand-mère, Mlle Anna Chandonnay, qui était en outre la marraine de mon père, habitait le Mesnil, la maison la plus proche de la nôtre. Elle venait de s'y retirer, après avoir tenu à Rouen, pendant trente ans, un commerce d'antiquités dans une des vieilles maisons à pignon du quartier Saint-Maclou. Je crois même qu'elle y faisait un peu d'usure. Sa laideur, son caractère indépendant et autoritaire, l'avaient empêchée de se marier et brouillée avec son neveu, auquel elle reprochait de s'être marié sottement. Je m'excuse de parler ainsi de M. Servaize, car c'est de lui qu'il s'agit. Mais, en vieillissant, la vieille demoiselle n'en éprouvait pas moins un réel besoin d'affection et, par une sorte de refoulement du sentiment maternel, sa tendresse inemployée se reportait sur mon père. Dure et avare envers les autres, elle se montrait pour lui incroyablement indulgente et généreuse. Elle lui répétait sur tous les tons qu'elle ferait de lui son héritier. A plusieurs reprises, elle lui avança des capitaux pour faire des achats de bois et elle ne voulait pas être remboursée.

« — Ce sera autant que tu auras touché d'avance sur mon héritage, disait-elle.

Sylvaine soupira.

— Que de fois n'ai-je pas entendu cette phrase! Généralement, Mlle Chandonnay en ajoutait une autre : « Et là-dessus, tu n'auras pas de droits de succession à payer... », car elle ne pouvait admettre les exigences du fisc, trouvait injustes les impôts qui lui prenaient une part importante de ses revenus, et considérait le contrôleur des contributions comme son ennemi personnel. Frauder le fisc, ne pas payer ses impôts, devint pour elle une marotte. Mais mon père se faisait un scrupule de rendre intégralement les sommes prêtées par la vieille demoiselle, afin qu'elle en eût la disposition, et gardât toute liberté de changer d'avis et de distribuer sa fortune selon son caprice.

Hervé laissait la jeune fille parler sans poser de questions et, durant tout son récit, il ne l'interrompit pas une seule fois.

— Un jour, poursuivit Sylvaine, à l'issue d'un repas que nous avions pris au Mesnil, Mlle Chandonnay nous lut solennellement son testament qu'elle venait de rédiger. A l'exception de legs sans importance, elle laissait toute sa fortune à mon père. Dans ce testament, elle disait de façon très explicite les raisons de son choix : son affection pour son filleul, sa reconnaissance pour les soins dont il l'entourait et, surtout, son estime pour le désintéressement dont il faisait preuve en n'acceptant pas l'argent qu'elle lui offrait. La vieille demoiselle cacheta son testament devant nous et affirma ensuite sa décision d'aller déposer sans tarder le document à l'étude de son notaire, Mᵉ Bressière, à Rouen. La délicatesse de mon père l'empêcha de s'informer par la suite si elle avait fait cette démarche. Peut-être n'y pensa-t-il pas...

Elle marqua un temps d'arrêt, puis de son même débit monotone, reprit :

— Quelques semaines s'écoulèrent. On se trouvait alors au cœur de l'été : les roses trémières dont ma mère, en mémoire de son pays natal, aimait à emplir le jardin, étaient en fleur ; les tilleuls embaumaient. Je n'ai jamais pu, depuis, respirer l'odeur des tilleuls sans avoir le cœur serré...

Elle se tut un instant, pour mieux contempler en elle-même le passé ; puis elle continua :

— Un jour, Mˡˡᵉ Chandonnay fit dire à mon père qu'elle avait le plus urgent besoin de le voir ; il décida de s'y rendre le soir même. Ma mère, un peu enrhumée, refusa d'aller avec lui... Pour rester près d'elle, je refusai également. Lorsqu'un malheur vous a frappé, on se dit qu'on aurait peut-être pu l'éviter, on reste obsédé par un point infime : c'est mon remords de ne pas avoir accompagné mon père comme il me le demandait. Ma présence auprès de lui eût peut-être changé l'interprétation qu'on donna ensuite aux faits. Ce fut donc seul qu'il partit pour le Mesnil. C'était le soir, après le dîner. Mˡˡᵉ Anna le reçut dans une pièce du rez-de-chaussée, attenant à sa chambre, car la vieille demoiselle n'aimait pas monter les escaliers. Dès que mon père fut arrivé, elle lui exposa les raisons pour lesquelles elle avait voulu le voir. Elle venait de vendre une petite propriété et s'était fait verser le produit de la vente en espèces : or et billets de banque, qu'elle étalait sur une table, devant elle, et prétendait faire emporter par mon père.

« — Tu comprends, Charles, disait-elle, il n'existe aucun lien de parenté entre nous et l'État te retiendra comme droits de succession la plus grande partie de mon héritage. Je ne puis me faire à l'idée d'enrichir le fisc par ma mort! Prends cet argent et arrange-toi de façon à en camoufler la provenance de manière à ne rien payer ; cela doit pouvoir se faire.

... Malgré ses efforts pour la discipliner, la voix de la jeune fille, par moments, s'élevait dans le silence, puis s'abaissait jusqu'à n'être plus qu'un murmure.

— Mon père, une fois de plus, refusa, arguant de ses principes. Mlle Anna se fâcha et le traita de nigaud. De retour chez nous, il nous raconta en riant l'entrevue, le mécontentement de la vieille demoiselle et de quel air déconfit elle contemplait son argent...

« A une timide objection de ma mère, plus réaliste, il répondit :

« — Je ne veux à aucun prix qu'on puisse m'accuser d'avoir exercé une pression quelconque sur une vieille femme solitaire afin de la dépouiller. Quand Mlle Chandonnay ne sera plus, et si elle n'a pas varié dans ses dispositions, j'hériterai de sa fortune, et ce sera très bien. Mais j'estime que ce ne serait pas honnête de profiter maintenant d'une générosité qu'elle pourrait regretter...

« Pauvre père honnête et scrupuleux! Comme il serait méconnu, raillé!

Elle s'interrompit... Le vent s'était calmé ;

aucun souffle, à présent, ne courbait les ombelles
ni n'éparpillait les graminées légères, et les feuilles
inertes dessinaient sur le sol un treillis immobile.
Une espèce de léthargie, d'attente, paralysait les
choses. Sylvaine reprit :

— Le lendemain de ce jour, et dans la pièce
même où elle avait reçu mon père, on trouvait
Mlle Chandonnay morte, le crâne brisé par un
lourd chandelier ; assassinée, sans aucun doute.
Imprudente et obstinée comme beaucoup de personnes âgées, la vieille demoiselle n'avait pour la
servir qu'une servante de son âge, Hermance, qui
dormait dans une pièce près de la cuisine. Depuis
peu de temps, une autre personne résidait au Mesnil,
où elle rendait de menus services, une jeune veuve
nommée Alix Nadel. Je ne l'avais pas vue encore.
C'était sur les instances de mon père que Mlle Anna
avait accepté de donner l'hospitalité, en raison de
sa situation précaire, à cette parente éloignée qu'elle
n'aimait guère et dont elle raillait le maquillage.
Mon père, qui lui conseillait de faire coucher la
jeune femme près d'elle, s'était vu rabrouer verte-
ment par ces paroles :

« — Dieu merci, je ne suis ni impotente, ni
gâteuse ! Et si je voyais en pleine nuit cette face
de carême près de mon lit, j'aurais certainement
peur !

Mme Nadel occupait donc une chambre au premier étage, à une distance éloignée, et elle n'avait
rien pu entendre de ce qui se passait en bas.

... Un subtil changement d'atmosphère se préparait ; le ciel s'obscurcissait graduellement, des
nuées d'un violet sombre venaient de la mer ; la
chaleur devenait orageuse et les oiseaux, qui
chantaient tout à l'heure, se taisaient à présent.
Au loin, un grondement de tonnerre se fit entendre.
La campagne si paisible changeait, prenait l'as-

pect violent et tragique d'un décor de drame.

— Une enquête fut ouverte. Le procureur de la République et le juge d'instruction vinrent au Mesnil inspecter les lieux. Ils questionnèrent Alix Nadel et la vieille Hermance. Bien innocemment, celle-ci mit les magistrats en éveil en racontant qu'elle avait, la veille au soir, introduit mon père auprès de Mlle Anna ; elle raconta aussi, sans penser à mal, qu'en apportant à sa maîtresse l'infusion qu'elle avait l'habitude de prendre chaque soir, elle avait remarqué qu'elle semblait irritée, et avait vu devant elle des liasses de billets de banque et des rouleaux d'or. Elle expliqua qu'ensuite elle était partie se coucher, qu'elle ne savait plus rien et ignorait l'heure et les circonstances du départ de M. Bréal.

... Fatiguée, Sylvaine peu à peu se courbait : ses cheveux blonds tombaient sur un côté de son visage sans qu'elle fît aucun geste pour les écarter.

— On interrogea mon père ; naturellement, il reconnut les faits, raconta sa conversation avec sa marraine, expliqua les raisons pour lesquelles elle l'avait fait venir... Invité à dire ce qu'était devenue la somme vue entre les mains de Mlle Chandonnay, il répondit qu'il supposait qu'après son départ elle l'avait rangée dans le secrétaire où elle mettait généralement son argent. Mais on eut beau chercher dans ce meuble et fouiller dans toute la maison, on ne trouva qu'une petite somme destinée aux dépenses courantes. Les billets, les pièces d'or, étaient disparus, volatilisés... Qui donc les avait pris ? La réponse s'imposait : ce ne pouvait être que mon père. Malgré ses protestations, on l'arrêta.

Elle eut un long, douloureux soupir, que parut répéter le silence.

— Et le testament, dont les termes à eux seuls étaient une preuve de l'innocence de mon père,

puisque Mlle Chandonnay y déclarait on ne peut
plus clairement qu'il n'aurait eu qu'à le vouloir
pour disposer de sa fortune, ne se trouvait pas
chez le notaire, ni nulle part, et il ne fut jamais
découvert. D'ailleurs, l'opinion des enquêteurs
était faite : ils tenaient le coupable. Mon père fut
traduit devant la cour d'assises de Rouen.

... Elle continuait de parler, mécaniquement,
revivant le passé.

— Des témoins défilèrent... On nous tortura,
ma grand-mère, ma mère et moi, cherchant dans
nos paroles des contradictions pour servir l'accusation;;; La vieille Hermance vint dire avec beaucoup de larmes qu'elle ne croirait jamais que le
filleul de sa maîtresse l'avait assassinée; mais sans
rien ajouter pour étayer cette opinion. Des envieux,
comme en ont tous les gens heureux, déclarèrent
que mon père ne savait pas gérer ses affaires ; son
amour pour ma mère, le fait qu'il eût pris femme
hors de son pays, son humeur facile et son optimisme même lui furent reprochés. Un ouvrier
congédié affirma qu'il pouvait se montrer violent...

Elle dut s'interrompre un instant, car sa gorge
contractée ne laissait plus passer les mots, puis
elle reprit :

— De ce que Mlle Chandonnay lui eût à plusieurs
reprises prêté de l'argent, on tira la conclusion
que mon père, ayant demandé une autre avance,
s'était heurté à un refus et que, de rage, et pour
s'emparer de l'argent qu'elle lui refusait, il avait
frappé la vieille demoiselle. L'argent volé devait
se trouver dans une cachette sûre... Pourtant,
combien cela semblait atroce, invraisemblable,
que mon père eût tué sa vieille amie, alors qu'il lui
eût été facile d'obtenir d'elle tout ce qu'il voulait !
Mais le testament qui eût pu le prouver manquait...
Mon père, d'ailleurs, se défendait maladroite-

ment... Ses affirmations qu'il avait refusé l'argent
de Mlle Chandonnay firent sourire... Ces Normands,
dont on dit un peu sévèrement que le cœur est
un cric ou un croc, ne croyaient pas à un aussi
exceptionnel désintéressement....

La voix de la jeune fille sombra, pour dire :

— Mon père fut condamné à dix ans de réclusion!

... Elle revoyait la scène, la lueur livide des
lumières électriques sur les robes rouges des
magistrats et les visages tendus des jurés ; elle
entendait la pluie qui martelait la proclamation
de la sentence et la protestation désespérée de son
père tandis qu'on l'emmenait ; et ses mains se cris-
pèrent l'une contre l'autre. Le silence, cette fois,
dura plus longtemps... Enfin, elle recommença à
parler.

— Nous nous trouvâmes seules, ma grand-mère,
ma mère et moi, en proie à la stupeur de vivre un
incompréhensible cauchemar. D'autres épreuves
encore nous attendaient. Privée de son directeur,
la scierie ne pouvait plus marcher ; il fallut la
fermer. Nous n'avions plus d'argent.

Sur un ton d'affreuse amertume, elle dit :

— Et, naturellement, plus d'amis non plus.
Pour payer les avocats et les créanciers surgis
d'on ne sait où, qui exigeaient d'être remboursés,
il fallut vendre nos biens, notre maison où il faisait
si bon vivre. Nous vîmes nos meubles dispersés à
l'encan. Quand tout fut payé, il ne nous resta rien.
Je dus me mettre au travail. Je n'avais que seize
ans et rien ne m'y préparait...

Et, tandis qu'elle parlait, Hervé comprenait
tout ce qu'elle ne disait pas, toutes les tortures que
cette enfant fragile avait dû supporter se présen-
taient à son esprit, avec leurs navrants détails.

— Ma mère ne put supporter cette succession

d'épreuves, disait Sylvaine. Elle n'en avait ni la
force morale, ni la force physique. Elle qui ne
savait que rire et chanter, ne parlait même plus.
Depuis l'arrestation de mon père, je ne la vis
jamais sourire. Elle restait de longues heures
immobile, assise sur une chaise, à fixer un point
dans l'espace — l'image des jours heureux — et
elle frissonnait. Privée de mon père, elle avait
froid, un froid mortel qui ne la quittait plus ;
malgré mes supplications, elle ne mangeait plus...

La jeune fille porta la main à sa gorge, et ses
dernières paroles furent comme le gémissement
d'une plaie rouverte :

— Elle mourut, un soir d'automne.

Elle eut un sanglot sec, sans larmes.

— Pauvre enfant ! murmura Hervé.

Elle ne parut pas l'entendre et ne le regarda
pas.

— Dorénavant, reprit-elle, j'étais seule avec
ma grand-mère. Il me fallait gagner notre vie à
toutes les deux et sans relation, sans références,
avec un nom taré ; ce fut souvent difficile.

Elle parlait maintenant avec hâte, pour en avoir
fini plus vite de cette confession épuisante.

— Nous étions venues à Paris, où les difficultés
pour trouver du travail étaient moins grandes,
et afin de nous rapprocher de mon père, incarcéré
à Poissy, pour lui apporter le réconfort d'une visite
à chaque fois qu'on nous le permettait...

— C'est pour aller voir votre père que vous avez,
un dimanche, refusé de sortir avec Mona et moi ?
demanda Hervé.

Elle fit un signe d'assentiment.

— Oui. Je vais le voir aussi souvent que je peux
en obtenir l'autorisation. C'est aujourd'hui un
vieillard tout voûté, aux cheveux blancs, bien
différent du beau Normand blond d'autrefois...

Mes visites sont les seules choses qui l'empêchent de sombrer dans le désespoir...

Peu à peu, elle s'était voûtée, pliant sous le passé comme sous un fardeau ; et sur son corps ployé, la robe fleurie semblait un symbole dérisoire et mensonger. Avec fatigue, elle acheva :

— Voilà... Maintenant, vous savez tout. J'aurais dû parler plus tôt, mais je ne m'en sentais pas le courage.

Elle se tut et ferma les yeux. D'avoir tardé à faire cette confession, elle éprouvait un sentiment de honte, de culpabilité ; et, elle se sentait lasse lasse à mourir. Puisqu'il faut mourir un jour, pourquoi ne serait-ce pas maintenant avant d'être rejetée ? Sans l'amour d'Hervé, la vie ne valait pas la peine d'être vécue... La voix du jeune homme l'arracha à sa torpeur épuisée et sans espoir.

— Mon amour, disait-il, comme il faudra que je vous aime pour vous faire oublier tout cela !

Et lentement, tendrement, il prit la pâle petite main abandonnée et la porta à ses lèvres...

CHAPITRE X

Était-ce possible ? Ne s'agissait-il pas d'une illusion due à la fièvre ? Elle croyait tout perdu et ne pouvait se faire à l'idée qu'Hervé ne la rejetât pas. De crainte de s'éveiller de ce qui, sans doute, n'était qu'un songe, elle gardait les yeux fermés. Et le jeune homme parla à nouveau :

— Aviez-vous donc cru que je cesserai de vous aimer parce que vous avez souffert ? disait-il sur un ton de reproche. C'était bien mal me juger et je serais en droit de vous en vouloir...

Elle se décida alors à soulever les paupières et vit, penché sur elle, le visage d'Hervé qui lui souriait... et il y avait tant de tendresse dans les yeux gris du jeune homme qu'elle en fut éblouie. Toute son âme s'élançait vers lui : cependant, craintive encore, elle murmura :

— Il y a sur moi une honte : la condamnation de mon père...

Gravement, il fit :

— Ce qui fait la honte, Sylvaine, ce n'est pas la condamnation, mais le crime. Et j'ai l'absolue conviction que votre père est innocent de celui dont on l'a accusé.

... Malgré sa jeunesse, Hervé connaissait en effet suffisamment la vie pour savoir combien les jugements humains sont précaires et sujets à l'erreur ; il soupçonnait dans cette affaire quelque sombre mystère d'iniquité. Et, en même temps, il lui venait un malaise de ce que son père fût, en somme, le bénéficiaire du crime pour lequel Charles Bréal était en prison et profitât de son héritage.

Cependant Sylvaine disait, sur un ton de reconnaissance :

— Mon père sera bien heureux de savoir que quelqu'un a cru en lui...

— Oui, dit Hervé, je crois fermement que M. Bréal a été victime d'une erreur...

Il prit un temps, puis demanda :

— N'a-t-il pas une opinion concernant un coupable possible ?

Elle hocha la tête.

— Oh ! il a bien retourné le problème sur toutes ses faces ; il en a eu le temps, pendant les longues journées de solitude... A son avis, la seule explication possible, c'est qu'après son départ du Mesnil, un rôdeur, en quête d'un endroit pour passer la nuit, est entré dans le parc et a vu Mlle Chandonnay qui comptait son argent et se préparait à le ranger. Tenté par cette somme à la portée de sa main, il aurait tué la vieille demoiselle pour s'en emparer... et emporté par mégarde, en même temps que les billets, le testament qui, sans doute, se trouvait parmi eux...

— C'est possible, en effet, reconnut Hervé. Votre père a-t-il soumis cette idée à son avocat ?

Elle répondit d'un ton désabusé :

— Il l'a fait, et l'on interrogera quelques vagabonds qui pouvaient avoir commis le crime ; mais tous fournirent des alibis reconnus exacts.

Moins par conviction que par tendresse, il reprit :

— La vérité se découvrira peut-être un jour...

... Plus tard, Sylvaine se rappellerait les détails de cet entretien et elle admirerait la perversité de la vie qui s'amuse à agencer de telles conversations.

— C'est une chimère à laquelle il vaut mieux ne pas s'arrêter, soupira-t-elle. Le coupable, vraisemblablement, sera toujours ignoré et mon père portera toute sa vie le poids de ce crime commis par un autre.

Il y eut un instant de silence. L'orage se rapprochait puis s'éloignait ; des nuées se pourchassaient dans le ciel. Près des jeunes gens, un grand vol de corbeaux s'abattait et se relevait, cherchant sa nourriture dans la glèbe. L'un d'eux, se détachant des autres, se posa devant le grand chêne, où il demeura. Et, au milieu de sa joie qui hésitait à s'épanouir, Sylvaine pensa douloureusement à son père prisonnier.

— Pauvre père! murmura-t-elle. Quel calvaire aura été le sien!

Hervé pencha vers elle son beau visage brun.

— Nous serons deux, chérie, pour le consoler...

Il l'enveloppa de son bras et il la rapprocha de lui, par un mouvement de tendresse et de protection.

— Je vais entreprendre des démarches pour obtenir la libération de votre père, et certainement je réussirai, car il a déjà accompli une grande partie de sa peine. Et nous saurons l'entourer de tant de soins et d'affection qu'il oubliera les épreuves passées.

Elle dit avec émotion :

— Vous êtes bon et généreux, Hervé. Mais... ne craignez-vous pas que... la condamnation de mon père... si elle était connue... vous enlève de la considération et ne vous fasse du tort dans votre carrière ?

— Peu m'importe l'opinion des indifférents! dit-il avec force. J'aimais ma profession pour ce qu'elle comportait d'aventure, mais ma santé m'interdit désormais de retourner aux colonies. Je donnerai ma démission et, avec la petite fortune qui me vient de ma mère, j'achèterai un mas, quelque part en Provence, et dans ce doux coin de France, nous vivrons, avec votre père, oubliés, heureux...

Elle murmura, éperdue :

— Mon Dieu, serait-ce possible ?

Il resserra son étreinte.

— Vous verrez, chérie...

La voix du jeune homme se fit plus tendre pour prononcer :

— Maintenant, Sylvaine, me direz-vous enfin les paroles que j'attends ?

Elle l'interrogea du regard et il acheva :

— Me direz-vous enfin si vous acceptez d'être ma femme... et si vous m'aimez ?

Elle joignit les mains.

— Oui, Hervé, je vous aime... Et j'ai tellement souffert à la pensée de renoncer à vous !...

Ayant prononcé ces paroles avec une ferveur qui leur donnait tout leur sens, elle fut incapable de contenir plus longtemps ses larmes qui se mirent à couler en gouttes pressées sur ses joues pâles d'ange douloureux.

— Pauvre, pauvre bien-aimée si courageuse! dit Hervé.

Il l'attira plus près de lui et ce fut les lèvres contre les soyeux cheveux blonds qu'il murmura :

— Ne pleurez pas, chérie, il ne faut pas pleurer... Vous n'avez plus besoin d'être forte et de lutter... Vous ne serez plus jamais seule...

... Elle pleurait, mais ce n'était plus des larmes de douleur, mais des pleurs d'apaisement ; déjà elle souriait et, à l'abri de leurs cils mouillés, ses prunelles resplendissaient comme de sombres étoiles.

— Voyez-vous, Sylvaine, disait Hervé, vous étiez comme une de ces pauvres petites princesses d'autrefois qui cachaient leurs tresses sous le hennin et sous leurs voiles, en attendant leur chevalier... Éveillez-vous, ma princesse! Souriez à l'amour, à l'espoir... Je suis votre chevalier...

— Mon chevalier... répéta-t-elle.

Elle regardait avec émerveillement le visage tout proche du sien de celui qu'avant de le connaître elle avait baptisé, à cause de ses yeux loyaux et de son beau sourire : « Le Chevalier d'Espérance. » Il lui apportait aujourd'hui tout ce que son regard promettait et qu'elle n'osait pas espérer : l'enivrante joie d'être aimée d'un amour hors de la commune mesure, qui ne s'embarrassait ni d'intérêts ni de préjugés... Au son de la voix d'Hervé prononçant des paroles d'amour, tout un amas de jours désolés, d'années d'épreuves, d'humiliations, de flétrissures, s'enfuyait... Et elle pensait que la douceur de cette minute enchantée demeurerait en elle à jamais.

— Chérie, reprenait le jeune homme, laissez-vous entraîner par ma tendresse, faites confiance à mon amour ; vous avez droit à votre part de bonheur, elle sera belle parce que vous la méritez et que je vous aime...

... Elle l'écoutait, et en elle refleurissait cette foi intrépide de la jeunesse qui croit que les peines, les tourments, ne sont qu'un passage, et que chaque douleur a sa revanche assurée par une part de bonheur. Le corbeau perché dans le grand chêne, au-dessus de leurs têtes, croassa sinistrement ; ce fut à peine si elle y prêta attention.

Le soleil se cachait derrière les nuées ; dans l'air épaissi, les odeurs se faisaient plus fortes et plus douces, comme si, dans le calice de chaque fleur, au creux des mousses ou au cœur de chaque feuille, une cassolette se fût cachée. Et de respirer tant de parfums, après avoir versé tant de larmes, d'être si heureuse après avoir désespéré, Sylvaine se sentait un pue ivre... Les jeunes gens se grisaient de la vieille chanson toujours neuve sans se préoccuper du temps orageux, ni des croassements du corbeau, car aucune menace du temps n'a jamais empêché les lèvres de se joindre ni les cœurs de s'épanouir ; et rarement les présages sont compris.

... La première, Sylvaine revint à la réalité.

— Il doit être tard, remarqua-t-elle.

Hervé regarda sa montre et constata :

— C'est vrai... L'heure a passé plus vite que je ne le croyais... Nous avons juste le temps de rentrer pour déjeuner.

Sur le chemin du retour ils parlèrent très peu. Hervé demandait parfois à la jeune fille si elle était fatiguée ; et elle lui répondait négativement, car elle ne sentait pas sa lassitude. Ils se souriaient et leurs yeux se répétaient les paroles dont le souvenir chantait en eux. En débouchant de l'allée, ils virent qu'une automobile était arrêtée devant l'habitation.

— Tiens, dit Hervé, il est arrivé quelqu'un.

Au même moment, Mona apparut à la porte, le visage rose sous ses boucles brunes et charmante dans une robe du même bleu que les hortensias qui entouraient le perron de leurs touffes azurées. A la vue des jeunes gens elle croisa les bras d'un air indigné.

— Vous voilà enfin! dit-elle. Je vous croyais perdus dans les bois et je me demandais si j'allais suivre les conseils de mon estomac qui me disait de déjeuner sans vous, ou fréter une expédition pour partir à votre recherche!

Oubliant son indignation feinte, elle souriait malicieusement devant l'expression de leurs visages

— Tu vois, nous avons retrouvé notre chemin tout seuls, dit Hervé.

Il ébouriffa de la main les cheveux de Mona, qui répondit à cette taquinerie par une tape sur le bras ; puis, désignant la voiture, le jeune homme demanda :

— Il y a de la visite ? Étienne d'Amblemont, je suppose ! ?

Mona eut une moue désillusionnée.

— Non... C'est Maxime...

Hervé eut un geste d'étonnement.

— Maxime ! Par exemple ! Que vient-il faire ici ?

Mona mit un doigt sur ses lèvres.

— Parle plus bas, il est dans sa chambre...

A mi-voix, mais d'un ton totalement dépourvu d'enthousiasme, elle compléta ses explications :

— A la suite d'une crise de délirium tremens où il a cassé les vitres et boxé les passants, son Américain est entré dans une maison de santé spéciale pour milliardaires éthyliques, où il suit une cure de désintoxication. Maxime agirait sagement en suivant son exemple ; mais il n'en fera rien.

Elle ajouta mélancoliquement :

— Ça marchait si bien sans lui ! Il va nous empoisonner l'existence. Papa et maman se disputeront à longueur de journée à cause de lui ; papa ne sera pas à prendre avec des pincettes et il me refusera sûrement le petit costume de tussor rose dont j'avais envie.

Tandis que le frère et la sœur échangeaient ces paroles, Sylvaine vit s'entrebâiller une fenêtre du premier étage et apparaître le laid visage de celui qui faisait l'objet de la conversation ; et elle pâlit. La présence au Mesnil de Maxime Telmont,

auquel elle continuait d'attribuer l'affaire jamais
éclaircie du pendentif mis dans son placard, —
manœuvre infâme destinée à la faire renvoyer, —
chassait l'ivresse des minutes éblouies qu'elle venait de vivre et elle frissonnait, saisie d'une insur-
montable appréhension.

* * *

Cependant elle espérait encore que Maxime
n'avait éprouvé pour elle qu'un caprice passager,
envolé au cours de sa longue randonnée ; mais à la
manière dont il la regarda pendant le déjeuner,
elle comprit qu'il n'en était rien et qu'il ne renonçait
pas au désir de la conquérir. Et elle éprouva de
cette constatation une inquiétude que ni les
attentions tendres d'Hervé, ni la certitude de son
amour, ne parvinrent à dissiper. La présence de
Maxime, son regard morne et ironique à la fois,
éteignaient l'espérance et faisaient douter du bonheur.

... Les sentiments ressentis, les bouleversements
de l'âme n'abolissent pas les obligations pour ceux
qui sont obligés de travailler, et Sylvaine devait
faire quelques lettres pour M. Servaize. Aussitôt
le repas terminé, elle se dirigea vers la pièce qui
servait autrefois de bureau à Mlle Chandonnay et
où la pauvre vieille fille était morte tragiquement.
Mme Servaize, qui ne se souciait pas d'en faire
usage elle-même en raison de son souvenir sinistre,
l'avait généreusement octroyée à la secrétaire de
son mari. Ce n'était point par malignité particulière, mais seulement en raison du splendide
égoïsme que la belle Cécile montrait en toute
occasion. Sylvaine utilisait cette pièce, du reste
commode parce qu'indépendante et située un peu
à l'écart, comme cabinet de travail, et aussi comme

lingerie, car Mme Servaize, en effet, s'arrangeait
pour récupérer les frais de son hospitalité en char-
geant la jeune fille de multiples besognes : elle
devait recevoir les fournisseurs, surveiller les
comptes, faire le courrier et, parfois, exécuter un
repassage délicat. Sylvaine acceptait ces corvées
sans se plaindre, pour désarmer l'hostilité latente
de la belle-mère d'Hervé.

Une fois dans le bureau, elle regarda songeuse-
ment autour d'elle. L'ameublement, sans valeur
marchande, se composait de quelques chaises, de
fauteuils de tapisserie et d'une table-bureau,
moins vieux que démodés. Entre les deux fenêtres
devant lesquelles débordaient de gros hortensias,
on voyait un secrétaire d'acajou, d'aspect assez
disgracieux. Sur les murs, tendus d'un papier aux
fleurs passées, parcouru de longues traînées
humides, quelques peintures sombres dans des
cadres tarabiscotés étaient accrochées. La seule
chose qui fût remarquable était une cheminée
monumentale en bois sculpté, chaque panneau
représentant un oiseau ou un animal fantastique
travaillé à même le bois.

... Et Sylvaine songeait que, dans cette pièce,
un crime avait été commis pour lequel son père,
innocent, subissait une peine infamante, tandis que
l'assassin demeurait impuni... Ne dit-on pas que
ceux qui moururent assassinés ne reposent pas en
paix, que leurs ombres viennent crier vengeance ?...

La première fois que la jeune fille était entrée
dans le bureau de Mlle Chandonnay, elle avait
ressenti une crainte superstitieuse, rapidement
dissipée. Car si elle éprouvait par moments, dans
cette pièce, une impression de mystère, de présence occulte, qui la tenait en éveil et, par instants,
la faisait frissonner, elle n'y sentait rien d'hostile,
au contraire. Elle se disait que, sur cette terre, rien

ne se fait sans une volonté supérieure, et qu'il y avait probablement une raison à sa présence au Mesnil... Et l'idée lui venait qu'elle pourrait peut-être trouver une explication au drame... une preuve de l'innocence de son père...

A cause du temps orageux, du vent qui frôlait les fenêtres, plus que les autres jours, l'atmosphère semblait à la jeune fille saturée d'intentions secrètes... Elle revoyait Mlle Chandonnay dans cette pièce, assise près de ce bureau, telle qu'elle l'avait vue si souvent, avec son long visage chevalin, ses gros sourcils, ses yeux intelligents et bons... N'était-ce pas elle dont la voix, par le tressaillement des tentures frôlées de vent, le craquement des meubles, cherchait à lui communiquer quelque chose ?

Saisie d'une sorte de frénésie, Sylvaine se mit à examiner la pièce. Elle commença par soulever le tapis qui couvrait le sol, mais les carreaux ne recelaient pas de cachette ; et il n'y avait rien derrière les tableaux, sinon d'épaisses toiles d'araignées. Une clef toute rouillée se trouvait sur le secrétaire ; la jeune fille la fit jouer, non sans peine ; la tablette dépliée, les tiroirs déposés à terre, laissèrent voir un rayonnage absolument vide : nul vestige de document, pas même un bout de papier oublié n'attirait le regard... Le testament disparu ne se trouvait nulle part ; et c'était pur enfatillage que de supposer découvrir, après si longtemps, un indice qui eût échappé aux policiers...

Déçue, la jeune fille remit les tiroirs en place, puis s'installa à sa machine à écrire où elle s'activa à taper les lettres de manière qu'elles fussent terminées lorsque Abel Dumu viendrait les chercher pour les porter à la poste du village. C'était une des rares besognes qu'on pût confier à l'innocent, et dont il s'acquittât bien. La jeune fille mettait

une dernière adresse lorsque la porte s'ouvrit et
Maxime Telmont parut.

— N'ayez pas peur, belle Sylvaine, c'est moi,
dit-il avec un sourire grimaçant.

Les abus auxquels il s'était livré durant trois
mois en compagnie de l'Américain n'avaient pas
contribué à améliorer son aspect physique, devenu
plus repoussant encore. De lourdes poches gon-
flaient ses yeux mornes et injectés, des tics parcouraient son visage ; son corps, plus efflanqué que
jamais, flottait dans un costume de tweed verdâtre
qui le faisait paraître cadavérique, et un tremblement presque continuel agitait ses mains tavelées
de roux.

— C'est le tac-tac de votre machine à écrire
qui m'a averti de votre présence ici, expliqua-t-il ;
autrement, je ne m'en serais pas douté! Si j'avais
été superstitieux, j'aurais pu croire qu'il s'agissait
d'une manifestation de l'au-delà...

Tout en parlant, il jetait autour de lui un regard
bizarre, puis il eut un petit ricanement nasal.

— Je ne le suis pas, heureusement!

Et comme pour un défi, il déplaça bruyamment
une chaise... On eût dit alors qu'il se faisait un
remous dans l'atmosphère ; un coup de vent, en
passant dans la cheminée, émit un hurlement que
des échos inconnus répétèrent ; les rideaux bou-
gèrent. Et il y eut, dans le regard de Maxime, une
sorte de vacillement ; son visage apparut d'une
pâleur grise. Il demeura quelques instants silencieux ; mais, après cette manifestation des éléments, tout redevint calme ; alors il ricana de
nouveau. S'asseyant à califourchon sur un siège,
il reprit :

— Je crois, charmante Sylvaine, que vous êtes
encore plus jolie qu'avant mon départ. Parole
d'honneur, j'ai regretté bien souvent de ne pas

vous avoir auprès de moi tandis que je parcourais
les sites enchanteurs de la Côte d'Azur...

La jeune fille se taisait, s'efforçant de dissimuler
son déplaisir et son inquiétude. Elle savait que
personne ne viendrait la délivrer de l'intrus, car
Hervé et Mona se trouvaient occupés en ce moment
à disputer une partie de ping-pong à l'autre bout
de la maison.

— Vous ne manifestez pas une joie exubérante
à me revoir, reprit Maxime. Je ne suis pas très
compétent en cette matière, mais il paraît que la
réserve est de mise chez une jeune personne...

Sa gêne du début s'était dissipée ; il parlait sur un
ton bouffon qu'accentuait l'éraillement de sa voix.

— Mais, pour fêter notre réunion, vous ne
pouvez refuser de venir faire une petite promenade à Rouen avec moi ! La ville offre des ressources,
comme distractions...

— Monsieur, dit Sylvaine, je vous ai déjà dit
que de telles promenades ne me semblaient pas
convenables...

Le visage blême de Maxime se marbra de taches
rouges, ses yeux mornes s'enflammèrent d'une
subite colère d'ivrogne.

— Dites donc ! cria-t-il, est-ce que vous me
prenez pour un idiot ? Quand il s'agit de vous
promener dans les bois avec Hervé Servaize, vous
ne vous préoccupez pas de convenances !

Il ajouta rageusement :

— Ne niez pas ! Je vous ai vus de ma fenêtre !
Je me demande bien, d'ailleurs, quel agrément
vous pouvez trouver en compagnie de cette espèce
de boy-scout !

Sylvaine s'était redressée, frémissante.

— Je n'autorise personne à contrôler ma conduite,
monsieur !... et je ne crois pas avoir à vous rendre
compte de mes préférences !

Les paupières de Maxime papillotèrent plusieurs fois, puis il sifflota doucement.

— Oh! oh! Il me semble que vous avez pris bien de l'assurance, Sylvaine Bréal! fit-il ironiquement. Vous n'étiez pas si fière, si sûre de vous, lorsque ce bon Jérôme vous a ramassée, crevant de faim...

Elle se mordit les lèvres et baissa les yeux pour qu'il ne vît pas combien lui était pénible ce rappel à la vie douloureuse et misérable qui avait été la sienne si longtemps. Mais il le devinait, et il l'observait d'un air sarcastique et satisfait.

— Oui, reprit-il, je sais à quoi m'en tenir sur cela... et sur bien d'autres choses encore... Cela ne vous plairait guère, entre nous, de vous retrouver dans la même situation?

Elle s'efforça de raffermir sa voix, pour dire :

— Il n'y a pas de raisons pour que cela se reproduise, monsieur...

Il semblait prendre, à son inquiétude, un plaisir sadique.

— Oh! mais si, dit-il, cela peut arriver à nouveau! Et le souci de votre avenir devrait justement vous inciter à vous montrer plus aimable envers moi.

Elle ne douta pas qu'il ne fît là une allusion à ce qu'il avait déjà tenté contre elle et frémit. Mais elle ne dit rien et, après un instant de silence, il reprit :

— Dites-moi : est-ce que mon beau-neveu — c'est une manière de parler, comme on dit mon beau-frère — sait que vous êtes la fille de Charles Bréal, actuellement en prison pour assassinat?

Elle posa sur lui ses larges prunelles sombres et tristes, qui ajoutaient tant de pathétique à sa beauté, et dont l'expression eût attendri tout autre, et elle fit :

— Il ne l'ignore pas, monsieur.

Il hocha la tête.

— Oh! oh! A ce que je vois, vous avez pris vos précautions!...

Un instant, il demeura déconfit... Il se mordillait les lèvres, paraissant chercher dans sa tête le moyen de la réduire ; puis son visage s'éclaira d'un reflet véritablement diabolique et il sourit, pour lui-même, à quelque infernale pensée...

— Écoutez-moi, Sylvaine Bréal, dit-il. On prétend que j'ai pas mal de vices, — et c'est sans doute vrai, — mais on me reconnaît généralement une certaine dose d'intelligence. Et l'intelligence, pour moi, c'est le moyen d'obtenir ce qu'on veut. Or en ce moment, ce que je veux, c'est vous. Et je n'accepterai jamais d'être évincé par Hervé!

Une menace vibrait dans sa voix et brillait dans ses yeux sans couleur. Il s'approcha de la jeune fille et elle frissonna de dégoût et de peur.

— Aussi, croyez-moi, pas de romance avec Hervé, ou j'y mettrai bon ordre! Vous ne l'épouserez jamais! J'ai en réserve le moyen de vous séparer l'un de l'autre irrémédiablement! Vous ne vous moquerez pas de moi ensemble, je vous le jure!...

Il perdait toute contrainte ; sa voix montait, furieusement aiguë... il avait pris la jeune fille aux poignets et accentuait chacune de ses paroles d'une pression de ses doigts durs... Le bruit de la porte qui s'ouvrait le fit se retourner. La silhouette d'Abel Dumu, qui venait chercher les lettres afin de les porter à la poste, s'avança dans la pièce... Sans doute l'innocent avait-il entendu les éclats de voix de Maxime Telmont — à moins que son instinct ne lui révélât que celui-ci était un ennemi pour Sylvaine. Il se plaça entre la jeune fille et son tortionnaire et gronda, comme un chien. Maxime le regarda avec colère, puis il haussa les épaules.

— Je n'ai rien à ajouter pour le moment, dit-il. Réfléchissez à ce que je vous ai dit, Sylvaine Bréal!

Avant de battre en retraite, il fit une révérence bouffonne.

— Au revoir, beauté!

Il sortit, laissant la jeune fille en compagnie d'Abel Dumu, qui fixait sur elle ses yeux asymétriques. On voyait, sur sa face informe, le travail difficile d'une pensée qui cherchait à se faire jour. Enfin, dans son langage inarticulé, il parvint à prononcer :

— ... Moiselle Sylvaine... moi, suis là... marchez!

Il répéta plusieurs fois :

— ... Suis là...

Avec pitié, Sylvaine lui sourit.

— Oui, Abel, merci...

Elle finit par maîtriser le tremblement qui l'avait prise, et cacheta les lettres qu'elle remit à l'innocent. Celui-ci s'éloigna et la jeune fille resta seule...

... Après avoir longuement menacé, la pluie s'était mise à tomber ; une pluie lente qui, dans l'air ouaté, paraissait, en tombant sur les hortensias qui encadraient les fenêtres, répéter indéfiniment les mêmes notes. Le ciel bas semblait peser sur les arbres, les vapeurs d'eau frôlaient la pelouse et une verdâtre lumière d'aquarium noyait le bureau où se trouvait Sylvaine.

La jeune fille demeurait immobile à la même place, sans force pour réagir contre l'angoisse versée en elle par Maxime. Elle avait beau se répéter qu'Hervé la défendrait, que le frère de Cécile Servaize ne pouvait rien contre leur amour, elle avait peur... Elle sentait bien que les paroles énigmatiques prononcées par Maxime n'étaient pas seulement un moyen d'intimidation, mais qu'il devait posséder une arme susceptible de ruiner

son bonheur. Et ces paroles menaçantes la poursuivaient comme lorsqu'ils étaient dans le parc, Hervé
et elle, à parler de leur amour, les poursuivait le
vol du corbeau sinistre, entêté à planer sur leurs
têtes rapprochées.

Oiseau de malheur, que signifiait votre lugubre
croassement ?

CHAPITRE XI

Pendant quelques jours, Maxime monta autour de Sylvaine une sorte de garde, s'approchant d'elle dès qu'il la savait seule, de manière qu'elle ne pût avoir de tête-à-tête avec Hervé. La jeune fille n'osait pas se plaindre et elle vivait dans l'appréhension de voir surgir son odieux visage, d'entendre ses ricanements sans cause apparente et ses phrases à double sens. Mais aussi puissant que fût son désir d'empêcher les jeunes gens de se parler, Maxime n'était pas homme à demeurer tout le jour dans une maison perdue dans la campagne ; et il abandonna promptement cette surveillance fastidieuse pour aller se distraire. A Rouen, les distractions ne manquaient pas. Dieppe et Deauville n'étaient pas si loin qu'il ne pût y aller passer la journée, ce qu'il prit l'habitude de faire, et le tourment de Sylvaine s'en allégea, sans cependant disparaître tout à fait. Quand la jeune fille avait entendu son automobile, une voiture grand sport, achetée pour une bouchée de pain à un joueur décavé de Monte-Carlo, s'éloigner en vrombissant, elle respirait mieux.

Ce jour-là, il partit dès le matin ; et le facteur ayant apporté une lettre annonçant pour le lende-

main l'arrivée tant attendue d'Étienne d'Amblemont et de sa cousine Jenny. Mona, tout excitée,
somma son frère de l'emmener à Rouen, pour
acheter des fards et se faire faire une mise en plis ;
et elle invita Sylvaine à l'accompagner. Celle-ci
accepta et, après quelques courses dans la ville,
Hervé arrêta sa voiture à proximité du coiffeur
chez lequel Mona se rendait.

— Dépêche-toi de descendre, conseilla le jeune
homme à sa sœur, car il est défendu de stationner
ici, et je risque d'être en contravention...

Mais, malgré la recommandation, Mona ne se
hâtait pas. Elle se regardait dans la glace de son
sac à main d'un air attentif.

— J'ai envie de me faire décolorer en platine
une mèche de cheveux sur le devant, pour réaliser
la coiffure « coup de soleil », prononça-t-elle.
Qu'est-ce que vous en pensez ?

Hervé eut un sursaut effaré.

— Une mèche de cheveux blonds dans tes cheveux noirs, mais ce sera affreux !

Elle le regarda d'un air méprisant.

— Colonial, va ! Tu n'y connais rien !

— Tu auras l'air d'un ara !

— Je ne sais pas ce que c'est qu'un ara, fit
Mona, sans se troubler ; mais je sais que toutes les
vedettes de cinéma ont des mèches plus claires
dans les cheveux, et que c'est très à la mode !

— Un ara est une sorte de perroquet, expliqua
Hervé. Tu tiens à ressembler à un perroquet ?

— Oh ! ça m'est égal !

Elle secoua ses boucles brunes et tourna vers
Sylvaine ses joues roses et ses yeux joyeux.

— N'est-ce pas, Sylvaine, que la coiffure coup
de soleil m'irait très bien ?

Sylvaine ne put s'empêcher de sourire à la
charmante figure.

— J'en suis persuadée, dit-elle, mais, à votre place, je ne tenterais pas l'expérience sans en avoir parlé à mes parents.

— J'étais sûre que vous me diriez cela! fit Mona d'un ton maussade. Mais si j'avais parlé à mes parents de mon désir, je sais ce qui en aurait résulté : maman se serait empressée de faire comme moi, ce qui eût été ridicule ; et papa m'eût régalée, une fois de plus, d'un sermon en cinq points sur le peu de modestie des jeunes filles modernes, et les bienfaits de l'éducation d'autrefois. Et s'il avait eu ensuite une crise de dyspepsie, il aurait dit que c'était ma faute, et j'aurais eu des remords.

— Alors, dit Sylvaine, je crois qu'il serait plus sage de renoncer à votre petite fantaisie capillaire.

— Je le crois aussi, dit Mona avec regret.

Un pied sur le marchepied de la voiture, elle mordillait ses lèvres fraîches inutilement recouvertes de rouge brillant.

— Je ne peux pas risquer des complications du côté de la famille au moment où nous allons recevoir des invités, ce serait mal choisi. Papa n'est déjà pas si aimable en temps ordinaire. Je vais donc conserver à mes cheveux la teinte uniforme qu'ils doivent à une nature parcimonieuse.

Elle soupira.

— Quel malheur d'avoir un père aussi démodé!

Une injonction énergique de l'agent de police de service les invitant à circuler la décida à sortir en hâte de la voiture.

— Au revoir, mes enfants, dit-elle. A tout à l'heure.

Avec un clin d'œil malicieux, elle ajouta :

— J'espère que vous ne vous ennuierez pas trop sans moi...

— Nous ferons notre possible, dit Hervé.

Avec un petit geste de la main, elle s'éloigna ;

et, tout en manœuvrant sa voiture parmi les innombrables véhicules qui sillonnaient la rue, le jeune homme commenta :

— Quelle enfant !

— Elle est exquise, dit Sylvaine. Elle a l'ignorance fleurie de charme de l'enfance, la confiance intacte de ceux que la vie n'a pas touchés...

Hervé hocha la tête.

— Dieu veuille qu'elle ne soit pas déçue ! Naturellement, elle est amoureuse de ce d'Amblemont...

Il fronçait les sourcils d'un air soucieux. Sa nature profonde et sensible ne sympathisait pas avec celle du bel Étienne ; il devinait que celui-ci ne méritait pas l'amour de Mona. Et il souhaitait se tromper en jugeant le jeune diplomate léger et sans valeur morale.

... C'était un samedi, jour de trafic intense ; et, après avoir erré plusieurs minutes à la recherche d'un emplacement pour ranger sa voiture, il finit par s'arrêter dans une des petites rues pittoresques qui entourent la basse Vieille Tour. Et, tournant vers Sylvaine assise près de lui son beau visage souriant, il dit :

— Maintenant, Sylvaine, parlons de nous. Depuis l'autre matin, je n'ai pas trouvé le moyen de vous voir en particulier. Quand je croyais y arriver, un gêneur surgissait toujours. On aurait dit qu'un mauvais sort s'en mêlait.

Elle songea que le mauvais sort se nommait Maxime Telmont, et la pensée un peu oubliée du déplaisant personnage fit passer une ombre dans son regard. Hervé, avec l'intuition spéciale de ceux qui aiment, s'en aperçut, et il fit :

— Est-ce une idée, il me semble que vous êtes triste et inquiète ?

Elle répondit faiblement :

— Je n'ai rien.

— Si, je le sens...

Elle se tut, et il insista :

— Voyons, chérie, qu'y a-t-il ? Que s'est-il passé depuis l'autre jour qui assombrisse votre visage ?...

Il hésita, avant de prononcer :

— Auriez-vous des difficultés avec ma belle-mère ?

Elle protesta hâtivement :

— Non, non. Mme Servaize est avec moi... comme d'habitude. C'est de... Maxime Telmont qu'il s'agit.

Il s'exclama :

— Maxime ?

— Oui.

Elle s'était promis de cacher à Hervé les tentatives de séduction comme les menaces de Maxime, de garder pour elle les doutes et les angoisses de son cœur, mais devant la tendre insistance du jeune homme, sa volonté céda ; elle ne résista plus au besoin de s'épancher, et lui raconta tout... L'étonnement du jeune homme fut grand.

— Par exemple! fit-il, le lâche personnage! J'étais loin de me douter de cela... Certes, je tenais Maxime pour un ivrogne déséquilibré et peu recommandable ; et je me suis étonné bien souvent de la tolérance de mon père à son égard ; mais je le croyais incapable d'agir ainsi avec une jeune fille! Je vais lui dire aujourd'hui même ce que je pense de sa conduite, et le prier de vous laisser en paix, sous peine d'une correction sévère.

La chevaleresque indignation qui teignait ses joues bronzées, le feu de son regard, l'énergie de ses paroles, firent éprouver à Sylvaine une douce fierté. Cependant, elle pria :

— N'en faites rien, Hervé! Songez dans quelle

position gênante me mettrait vis-à-vis de votre
famille une dispute à mon sujet entre vous et
M. Telmont! Mme Servaize ne manquerait pas de
m'en tenir rancune...

— Peu importe!

Elle secoua la tête.

— Non. Croyez-moi, il vaut mieux garder le
silence sur cette ennuyeuse affaire. Peut-être
aurais-je dû le faire... J'ai eu la faiblesse de vous la
raconter parce que... non content de me poursuivre
de ses assiduités, M. Telmont m'affirmait posséder
le moyen de nous séparer.

Sa voix tremblait en prononçant ces derniers
mots. Hervé s'en aperçut. Ses yeux gris plongeant
dans les yeux bruns de Sylvaine, il dit :

— Et vous l'avez cru?

Elle balbutia :

— J'ai eu peur...

— Peur?

— Oui.

Elle lui livrait des grandes prunelles où il
pouvait lire son amour et son angoisse.

— Peur de vous perdre... dit-elle, très bas.
Peur que notre amour ne soit qu'un rêve.

Il comprenait qu'elle avait depuis si longtemps
pris l'habitude du malheur qu'elle arrivait difficilement à se défendre de l'idée que le bonheur
était comme un de ces oiseaux merveilleux que
l'œil contemple, mais que la main jamais ne peut
saisir. Il se mit à dire, doucement, tendrement :

— Petite folle chérie! Absurde petite fille!

Il entoura de ses bras la taille ployante qui ne se
défendait pas.

— Écoutez-moi, Sylvaine. Maxime est un demi-
fou ; je ne lui dirai rien aujourd'hui, puisque vous
ne le voulez pas ; mais s'il recommence à vous
ennuyer, je saurai bien le remettre à sa place de

telle manière qu'il se le tiendra pour dit. Laissez vos craintes, chérie. Que voulez-vous que Maxime fasse contre nous ?

La voix du jeune homme, son beau sourire, la tendresse de ses yeux et la chaleur de son bras autour de sa taille agissaient sur Sylvaine à la manière d'un exorcisme. Ses inquiétudes se dissolvaient ; et elle se trouvait un peu ridicule d'avoir attaché tant d'importance à ce qui n'était sans doute que les propos d'un ivrogne.

— Tranquillisez-vous, reprit Hervé. Rien ni personne ne peuvent nous séparer.

Elle pria :

— Répétez-le, Hervé. Dites-moi que vous m'aimez. J'ai tant besoin de certitude !

Et comme elle le demandait, il répéta sans se lasser les paroles qu'elle avait soif et faim d'entendre.

— Vous serez ma femme bien-aimée, Sylvaine ; nous ne nous quitterons plus, nos deux vies sont liées pour toujours... Ne soyez plus jamais triste, mon amour ; vous ne devez avoir peur de rien. Puisque je vous aime et que vous m'aimez, il n'y a plus place dans notre vie pour le malheur...

Elle souriait avec ravissement et l'espérance, à nouveau, s'épanouissait dans son cœur.

... La rue peu passante où le hasard les avait conduits enfermait plus d'ombre que de jour entre les murs de ses maisons sombres et très vieilles, parmi lesquelles l'œil parfois reconnaissait avec surprise, derrière le recul d'une porte, les nobles proportions d'un aristocratique hôtel du quinzième converti en logements ouvriers. Au-dessus des toits, la flèche de la cathédrale se dressait contre le ciel nuancé de plusieurs bleus, semblable au mât d'un navire résistant aux tempêtes terrestres. Parfois une commerçante sortait d'une petite boutique

basse pour regarder dans la rue ; un chat maigre
lapait l'eau qui courait au ras du trottoir devant la
voiture... C'était un étrange endroit pour parler
d'amour ; mais que leur importait ? L'enchantement qui les enivrait parait toutes choses de poésie ;
et ils portaient sur leurs visages un tel rayonne-
ment d'amour, qu'un couple, au passage, leur jeta
un regard complice, et qu'une commère munie
d'un cabas leur sourit. Après quelques instants de
silence, Hervé reprit la parole :

— Ce soir, dit-il, je ferai part à mon père de
mon intention de vous épouser.

Timidement, elle fit :

— Croyez-vous... qu'il acceptera ?

Il la rassura.

— J'en suis sûr. Mon père ne mettra pas d'obstacles à mon bonheur. Et dès la rentrée, je m'occu-
perai de faire libérer M. Bréal...

— Comme vous êtes bon, Hervé !

— Non... Je vous aime et je ferai tout pour
vous rendre heureuse.

... Elle s'appuyait avec abandon contre l'épaule
du jeune homme. La tendresse d'Hervé était le
flambeau secourable dont elle avait besoin et elle
se laissait aller, montrant sa véritable nature qui
demandait à être soutenue, protégée, alors qu'il
lui avait fallu si longtemps lutter seule. Et cette
faiblesse abritée contre lui gonflait le cœur du
jeune homme d'une joie puissante et douce ; il se
grisait de ce qu'il y avait de ferveur et de reconnaissance dans les prunelles de sombre velours levées
vers lui.

... Après avoir été chercher Mona chez son
coiffeur, ils quittèrent Rouen, ses rues animées, ses
quais où les innombrables grues métalliques res-
semblent à une forêt étrange poussée sur la mer,
ses grands navires dont les mâts dressés ont l'air

de retenir le ciel prisonnier dans leurs cordages ; tout ce qui parle d'aventure et de départ. Ils se retrouvèrent dans la campagne où s'accomplit silencieusement le travail de la terre.

Le crépuscule venait, comme un immense voile de tulle ; une ombre transparente se déroula le long des collines couronnées de chênes, emprisonnant des lueurs roses qui persistèrent un moment puis s'éteignirent. L'ombre gagna la vallée, les maisons basses, les prairies plantées de pommiers, les bois festonnés de bruyères mauves, où les oiseaux se perchaient à l'approche du soir. L'air était tiède et parfumé, et Sylvaine et Hervé croyaient sentir une bienveillance des choses à leur égard, et ils entendaient battre leurs cœurs qui s'aimaient. Fatiguée, ou rêveuse elle-même, Mona se taisait. Quand ils arivèrent au Mesnil, les étoiles mûrissaient dans le ciel d'un bleu profond et la vieille maison, blottie sous les cèdres semblait paisible, sereine, sans mystère, trompeusement.

Le lendemain, après le déjeuner au cours duquel Mme Servaize fit montre d'une humeur massacrante, Jérôme Servaize demanda à Sylvaine de l'accompagner au bureau où il avait du travail à lui confier. Après lui avoir dicté un rapport qu'elle prit en note, il fut quelques instants à remuer des papiers, puis il prononça :

— Maintenant, mademoiselle Sylvaine, j'ai à vous entretenir d'autre chose.

Sur ces mots, il fit une légère pause et Sylvaine, comprenant qu'il allait être question d'Hervé, se sentit pâlir. Les doigts joints, comme pour rassembler ses forces, elle attendit, le cœur contracté.

— Mon fils, mademoiselle, reprit M. Sermaize, m'a fait part de son désir de vous épouser...

Il parlait de cette voix sourde qui ne laissait rien percer de ses émotions ; il continuait à remuer des papiers, d'un geste sans nul doute machinal.

— Je dois vous dire que je n'ai pas été surpris, reprit-il. Depuis quelque temps, je soupçonnais les sentiments de mon fils à votre égard et je m'attendais un peu à cette confidence...

Il enleva ses lunettes qu'il remit après les avoir essuyées et il continua :

— Considérant avant toute chose le bonheur de mon fils, je ne fais aucune objection à ses projets...

Un souffle de vent courba les hortensias et agita les rameaux, faisant passer sur le visage aux rides accentuées de M. Servaize une allée et venue rapide d'ombre et de lumière.

— Toutefois, reprit-il, je vous prierai d'attendre un peu pour rendre ces projets publics. C'est une concession que je vous demande de faire à ma femme qui prétend que l'annonce de votre mariage avec Hervé risque de compromettre l'établissement de Mona...

Le cœur un instant décontracté de Sylvaine se serra à nouveau.

— Je comprends... murmura-t-elle.

Elle comprenait en effet que la mauvaise humeur manifestée par Mme Servaize durant le déjeuner provenait de l'intention révélée par Hervé de l'épouser. Elle s'imaginait assez bien la scène entre les deux époux, la surprise indignée de la belle Cécile, ses injonctions à son mari de chasser celle qu'elle devait considérer comme une intrigante se heurtant à la volonté de M. Servaize. Elle soupira et elle pensa qu'elle devait se montrer reconnaissante envers le père d'Hervé d'accueillir

sans protestation une union si peu flatteuse pour
son fils, si peu conforme à ce qu'ils étaient en droit
d'ambitionner...

— J'espère que vous ne refuserez pas, reprenait
M. Servaize.

Elle eut vers lui un regard humble.

— Il sera fait comme vous le désirez, monsieur.

Plus difficilement, elle articula :

— Et... je vous remercie beaucoup... de ne pas
vous opposer à notre mariage...

... Les mots ne lui venaient pas. Elle s'en voulait
de ne pas mieux remercier, de trouver en elle si
peu de chaleur pour exprimer sa gratitude... Il
est vrai que le comportement de M. Servaize ne
l'encourageait pas : il était froid, distant, et ne
semblait pas s'attendre à des effusions ni à des
congratulations. Il se tenait derrière le bureau, la
tête baissée, et ses lunettes cachaient ses yeux.

Peut-être en ce moment poursuivait-il avec son
juge invisible le dialogue déjà commencé : « Voyez,
Seigneur, j'ai donné mon fils que j'aimais, mon fils
unique à la fille déclassée et sans le sou de Charles
Bréal... »

... Mais nul ne peut d'avance préjuger du prix
que réclamera la justice.

Ce même soir, la famille se trouvait réunie
autour de la table de la salle à manger. La ligne
électrique ne venait pas jusqu'au Mesnil, situé à
l'écart de toute agglomération, dans l'orgueilleux
isolement cher autrefois aux seigneurs, et la lueur
des bougies placées dans des candélabres éclairait
les meubles assez laids, en poirier noir, dont le
style Restauration s'accordait mal avec la haute
cheminée ancienne, grand monument remontant

à l'époque de la construction de la maison, c'est-à-dire vers la Renaissance. Un homme eût pu tenir à l'aise sous son manteau et elle était, comme celle du bureau, revêtue de panneaux de bois sculptés à pointes de diamant.

Malgré la présence de Maxime, qui émettait de temps en temps quelques phrases cyniques, des sarcasmes destinés à choquer ou à inquiéter, et la maussaderie de Mme Servaize qui n'ouvrait pas la bouche, sinon pour manger, d'ailleurs avec appétit, il régnait une sorte d'euphorie, faite pour Mona de l'attente d'Étienne et, en ce qui concernait Sylvaine, du souvenir de sa conversation avec Hervé. Ils ne se parlaient guère, mais, de temps en temps, ils échangeaient un regard, un sourire, qui entretenaient en eux un chaud foyer de bonheur.

Le vent d'ouest, humide et doux, apportait le goût de la mer et l'odeur des feuilles qui pourrissaient dans les bois. Parfois, une chauve-souris se cognait aux murs et l'on entendait autour de la maison les bruits de la mystérieuse vise nocturne : cri d'un rapace, chuchotement plaintif d'un oiseau apeuré, aboiement lointain d'un chien... Et tous les murmures, tous les souffles, tous les soupirs et les chuchotements auxquels on ne peut assigner d'origine... Les arbres, après la chaleur du jour, craquaient sous l'humidité nocturne et semblaient livrer leurs âmes. Les hortensias, devant les fenêtres, avaient l'air d'étranges figures pâles, attentives à surprendre des secrets. Des pensées confuses et poétiques voltigeaient autour des esprits comme les papillons autour des bougies.

L'imagination n'était guère cultivée parmi les relations habituelles de Mona, qui appréciaient mieux les joies tangibles de la danse ou des spectacles que des rêveries ; et Mona elle-même s'abandonnait rarement aux caprices de la folle du logis.

Or, voici que chez la jeune fille, sensibilisée par l'attente, le cœur gonflé de rêves, cette faculté s'éveillait subitement, donnant une voix à la plainte du vent, une âme aux choses, une forme aux vapeurs transparentes qui oscillaient entre les arbres...

— Si les fées existent, murmura-t-elle, c'est l'heure où elles doivent faire leur ronde...

Mais Mme Sermaize, qui détestait tout ce qui portait atteinte à l'ordre étroit de ses idées, haussa les épaules.

— Les fées ? Quelle bêtise ! Est-ce que tu deviendrais idiote ?

— Peut-être. Mais, ce soir, je me sens prête à croire à tout... C'est vrai, j'aimerais entendre raconter une de ces vieilles histoires d'autrefois comme on en lit dans les livres, avec des fées, des sorcières et des démons... Il doit bien y en avoir sur la région.

Tournée vers son père, elle demanda :

— Papa, toi qui as passé ta jeunesse par ici, tu dois bien en connaître ?

M. Servaize sursauta, comme toujours lorsqu'on l'arrachait à ses pensées.

— Mai foi non, dit-il. D'abord, je n'ai pas été élevé ici, mais à Rouen, et je ne me suis jamais intéressé aux légendes.

— Quel dommage ! fit Mona, déçue. Ça m'aurait amusée.

— La mère Dumu pourra peut-être te renseigner.

— Oh ! c'est une idée !

... Depuis quelques jours, c'était la mère d'Abel, l'innocent, qui servait à table en remplacement de la femme de chambre souffrant d'un panaris. Quand elle entra pour desservir, Mona l'interpella de sa petite voix claire :

— Mère Dumu, connaissez-vous des légendes se rapportant à la contrée ?

La femme répondit en son langage rude :

— Jarni, c'est point ce qui manque!

... C'était une créature de haute taille, qui
devait tenir de quelque ancêtre pilleur d'épaves
du Cotentin un dur visage en lame de couteau,
un nez en bec d'aigle et des yeux noirs profondément enfoncés. Son sang farouche réapparaissait
parfois en des répliques insolentes et son goût
d'indépendance était toujours en lutte contre
son âpre cupidité. Dans ses besognes les plus ser-
viles elle gardait la noblesse innée des filles du
grand-duché. Tout en empilant les assiettes les
unes sur les autres, elle ajouta :

— Il y a d'abord la légende du « Saut du
Maudit », qui relate des événements arrivés autrefois, paraît-il, non loin d'ici...

Mona battit des mains.

— Oh! fit-elle, les yeux brillants, racontez-
nous-la.

La femme hocha son visage tanné de vieux
pirate.

— C'est que, dit-elle, ce n'est point une histoire joyeuse, et peut-être qu'elle ne vous plaira pas.

— Ça ne fait rien, insista Mona.

La mère Dumu balança un instant, avec cette
réticence normande qui répugne à accepter du
premier coup, puis elle se décida.

— Soit, je m'en vais vous la dire.

Elle posa la pile d'assiettes qu'elle tenait sur
une desserte, mit son poing sur la hanche et
commença :

— En se promenant dans les bois qui font suite
au parc du Mesnil, à cinq ou six kilomètres
d'ici, on peut voir, au bord d'une falaise à pic,
un gouffre noir et profond, dont on n'a jamais
exploré le fond : c'est le « Saut du Maudit »... Il
paraît qu'autrefois, il y a de cela quatre siècles,

peut-être plus, s'élevait à cette place un riche
monastère... A quelque distance, il y avait également un château habité par un fort méchant seigneur, plus brigand que gentilhomme, le sire de
Varendal.

Elle parlait avec emphase et sa voix aux rau-
ques consonances adoptait le ton de psalmodie cher
aux conteuses des veillées.

— Un jour, à la tête de mauvais gars comme
lui, il envahit l'abbaye qu'il mit à sac après avoir
massacré tous les moines. Chargé d'or et de
richesses volés, il rentra au plus vite dans son
château pour mettre son butin à l'abri, laissant
une partie de ses compagnons en train de se battre
ou de ripailler. Faisant le compte des trésors pillés,
le sire de Varendal se félicitait du succès de son
expédition ; cependant, il commençait à s'inquiéter
du sort de ses compagnons, dont aucun n'était
rentré. Il pensa qu'ils devaient cuver leurs beuve-
ries ; mais, après plusieurs jours, il décida d'aller
les quérir et, enfourchant son meilleur cheval, se
mit en route.

La conteuse s'interrompit pour reprendre son
souffle et reprit :

— Le monastère et le château ne se trouvaient
pas très éloignés l'un de l'autre ; il ne fallait pas
plus de deux heures pour franchir la distance qui
les séparait. Or, il se produisit ceci : le seigneur
de Varendal marcha tout le jour à travers bois
sans arriver au monastère. On eut dit qu'il tournait en rond, que les sentiers, comme par magie,
s'enchevêtraient pour le ramener au même point.
La nuit vint sans qu'il fût parvenu à s'orienter.
Il était à un carrefour appelé depuis la « Fourche
aux Moines » et il jurait et sacrait de colère, lorsque,
dans l'obscurité, une silhouette tout à coup apparut...

« — Holà! l'homme! dit le châtelain. Qui que tu sois, tu tombes à pic pour me renseigner! Indique-moi donc le chemin pour aller à Varendal...

« Car il ne désirait plus maintenant aller vers le monastère, mais regagner au plus vite sa demeure.

« — Entends-tu, l'homme?

« ... Le nouveau venu ne prononça pas une parole, mais du geste il indiqua un sentier. Et, dans le mouvement qu'il fit, le sire de Varendal vit avec épouvante qu'il n'avait pas affaire à un homme, mais à un spectre, vêtu en moine, avec la cucule et le chapelet à la ceinture. Et un nouveau fantôme se dressait à côté de celui-ci, le bras tendu, puis un autre surgit, et d'autres encore, qui indiquaient le même chemin... Le seigneur de Varendal était brave ; il brandit son épée, mais le fer ne rencontra que le vide, car on ne combat pas les fantômes avec des armes humaines... Et les ombres, irrésistiblement, le poussaient en avant, sur son cheval dressé de frayeur ; il arriva ainsi au lieu où se trouvait le monastère. Mais, à la place où il s'élevait, il n'y avait plus qu'un gouffre noir et profond dont l'eau reflétait la lueur de la lune et d'où s'élevait une clameur d'enfer... dans laquelle le seigneur de Varendal reconnaissait les voix de ses compagnons... Et le cercle des ombres le poussait à son tour dans le gouffre, hurlant de terreur sur son cheval cabré, jusqu'à ce qu'il s'y précipitât après avoir imploré la grâce de Dieu...

Ménageant savamment ses effets, la narratrice fit une pause avant de poursuivre :

— On retrouva son cheval, galopant sans cavalier à travers les bois, mais on ne put le saisir. Quant au sire de Varendal, on n'en trouva nulle

trace et l'on n'entendit plus jamais parler de lui...
Un pauvre bûcheron, par la suite, raconta que,
grelottant d'effroi, il avait de loin assisté à la punition du mécréant, entraîné par les ombres de ceux
qu'il avait massacrés...

Elle regarda chacun de ses interlocuteurs et
fit :

— Vous comprenez, messieurs-dames, les
ombres en vêtements de moines, c'étaient les
remords qui poursuivaient le méchant seigneur,
car les remords ne laissent jamais le criminel en
paix...

Au milieu du silence attentif, il y eut quelque
part un soupir profond, douloureux, dont on ne
sut pas qui l'avait poussé. Mais peut-être, en réalité, ne s'agissait-il pas d'un soupir mais du souffle
du vent à travers les branches. Marie Dumu disait :

— C'est cela que veut dire la légende, à ce
que m'a expliqué un monsieur de la ville, profes-
seur retraité, chez qui j'ai servi étant jeune...

Elle traça un signe de croix sur sa poitrine
maigre et, plus bas, acheva :

— Il paraît qu'on entend, certaines nuits, le
galop du cheval sans cavalier, et d'aucuns disent
qu'ils l'ont vu rôder autour du gouffre...

... Un chien, au loin, poussa un long hurlement,
comme s'il voyait un fantôme. Sylvaine frissonna.
Une frayeur qu'elle jugeait stupide l'avait saisie.
Elle se rendit compte qu'elle était partagée par
les autres auditeurs. Le rose visage de Mona apparaissait tout pâle. Mme Servaize avait un air à la
fois effaré et boudeur. On ne pouvait rien lire sur
les traits bien défendus de M. Servaize. Hervé,
seul, ne paraissait pas impressionné et il dirigea
vers Sylvaine un tendre sourire. Quant à Maxime,
il avait ramassé des miettes de ce pain magnifique
qu'on appelle en Normandie pain brié, et ses longs

doigts osseux les pétrissaient nerveusement pour
en faire des boulettes. Il hocha la tête.

— Impressionnant, dit-il. Et tout à fait moral!
Cette fin édifiante est particulièrement réussie...
Les moines, ici, remplacent les Erinnyes antiques.

Il avait beaucoup bu au cours du repas, et sans
doute dans la journée qu'il avait passée à Deauville, et ses yeux étaient injectés de sang. Sur le
même ton ironique, il reprit :

— Cette légende, d'ailleurs, n'est pas unique.
On en raconte de semblables dans plusieurs régions
de France, partout où il existe un gouffre d'aspect
un peu terrifiant. La croyance au surnaturel est
un besoin primaire et j'imagine que ni le sire de
Varendal, ni ses congénères n'ont existé et qu'ils
furent inventés pour les besoins de la cause... Les
idées chrétiennes sur le repentir et la punition
rejoignent ici les superstitions païennes, les déesses
de la vengeance et du remords...

Il se mit à rire, de ce rire grêle et coassant que
Sylvaine détestait.

— En tout cas, je n'ai jamais entendu dire
qu'aucun criminel poursuivi par le remords se
soit jamais précipité dans l'un de ces gouffres.
Ce doit être que les bonnes habitudes se perdent
et que le repentir est incompatible avec les
mœurs actuelles.

La mère Dumu posa sur lui son regard noir.

— Vous avez tort de rire de ces choses-là,
monsieur. Ça porte malheur...

Il haussa les épaules.

— Quelle bêtise!

— Des bêtises? Les anciens, monsieur, qui
racontaient ces choses-là en savaient autant que
vous!

Elle ramassa ses assiettes et gagna la porte en
marmottant des paroles furieuses. Secouant la

première la torpeur énervante dans laquelle l'avait
plongée le récit de la servante, Mona prononça :

— Ça y est, la voilà vexée! Si elle ne casse
pas la vaisselle, nous aurons de la chance! Qu'avais-
tu besoin de railler sa légende ?

— Mais parce que je la trouve idiote, son histoire!

Une fois de plus, il émit son ricanement aigre.
L'horloge du vestibule sonna dix coups, d'un
timbre si lourd, si lugubre, que cela semblait un
avertissement. Si peu sensible qu'elle fût aux
impondérables, Mme Servaize ne put s'empêcher
de frissonner et s'en prit à sa fille.

— Et toi, Mona, tu as été stupide! fit-elle
aigrement. Je me demande ce qui t'a pris de
faire parler cette vieille bique! Je sens qu'à cause
d'elle je vais avoir des cauchemars toute la nuit!

Une certaine gêne pesa sur le reste de la soirée
et, quand elle se retrouva dans sa chambre, Sylvaine, hantée malgré elle par les paroles de
Marie Dumu, ne put s'empêcher de regarder autour
d'elle avec malaise. Mais la pièce au plafond, bas,
aux meubles anciens, n'offrait rien de terrifiant ;
elle donnait plutôt une idée de repos, de tranquillité
Et la jeune fille réagit promptement. Elle se refusait aux craintes, aux sollicitations ténébreuses.
Hervé l'aimait et, vivifiée par son amour, elle se
sentait jeune, heureuse de vivre... et, pour la
première fois depuis longtemps, elle osait regarder l'avenir en face.

Les mauvais jours étaient finis, et tournées les
pages sombres. Les feuillets qui restaient ne pouvaient que receler l'histoire merveilleuse de sa
vie unie à la vie de celui qu'elle aimait...

CHAPITRE XII

Chacun a eu l'occasion de le constater : les événements se déroulent rarement de la manière souhaitée, et Mme Servaize allait en faire l'expérience. En effet, ce ne furent pas seulement Étienne d'Amblemont et sa cousine qui arrivèrent le lendemain au Mesnil ; d'autres visiteurs moins désirés devaient se succéder durant toute la journée. La voiture qui amenait les jeunes gens venait à peine de se ranger devant le perron qu'un télégramme annonça qu'Alix Nadel se trouvait à la gare et demandait qu'on allât la chercher, ce dont Hervé se chargea. Il devait recommencer la même course un peu plus tard pour Philippe Castelan, invité avec insistance par M. Servaize, malgré l'opposition de sa femme, qui n'aimait guère le jeune ingénieur, jugé par elle vulgaire et bien osé de se montrer épris de Mona ! Elle craignait que sa présence, jointe à celle d'Alix, ne gênât ses projets et ne l'empêchât de manœuvrer à sa guise auprès d'Étienne pour l'amener à se déclarer.

En outre, cette pléthore d'invités compliquait le service ; il fallait adjoindre à la bonne et à la mère Dumu une fille pour aider à la cuisine et au ménage où, sans montrer de préférence, elle se montra également maladroite. Et Sylvaine vit augmenter de façon considérable le nombre de corvées dont elle était ordinairement chargée.

— Il ne faudrait pas vous imaginer que votre... petite intrigue avec mon beau-fils change quelque chose à votre position, lui dit Mme Servaize. Cela ne supprime aucune de vos obligations !

Certains êtres sont construits de telle manière qu'il leur faut faire supporter à autrui le poids de leurs déconvenues, et l'exaspération empêchait la belle Cécile de se dominer. Cinglée, Sylvaine repartit :

— Madame, il ne s'agit pas entre Hervé et moi d'une intrigue, mais d'un projet de mariage...

— Oui ?

Du haut de sa grande taille, Mme Servaize la toisait railleusement.

— Et vous vous attendiez peut-être à ce que je vous offre mes félicitations, vous traite en invitée et vous dispense de tout travail ? Détrompez-vous, mademoiselle !

— Madame, dit Sylvaine, je suis à votre disposition, comme je l'ai toujours été...

Elle attachait sur la femme de son patron son profond et touchant regard. Mais aucune soumission ne pouvait attendrir Mme Servaize.

— Vous faites bien, dit-elle d'un ton rogue. N'oubliez pas que vous ne devez à aucn prix faire soupçonner qu'il y a un accord sentimental entre vous et Hervé tant que nos invités seront là.

— Je m'y engage, madame.

— Je ne veux pas que cela risque de faire du tort à Mona...

Après une pause, perfidement, elle laissa tomber :

— D'ailleurs, votre mariage n'est pas fait, et il coulera sans doute beaucoup d'eau sous les ponts avant qu'il se réalise!

Ces mots firent à Sylvaine l'effet d'un soufflet sur la joue et des larmes montèrent à ses yeux. Cependant elle ne répondit pas et montra autant de bonne volonté à rendre service à Mme Servaize. Elle avait un si grand besoin de paix et de sympathie qu'elle souffrait de l'aversion de celle-ci et qu'elle faisait tout pour la vaincre.

D'ailleurs, apaisée d'avoir déversé sa mauvaise humeur, la belle Cécile se montra par la suite moins acrimonieuse. La présence d'Étienne et de Jenny, jolie fille rousse, piaffante et coquette, changeait l'air de la maison. Les jeunes gens avaient apporté avec eux cette ambiance brillante, artificielle, qui était leur élément et qui épanouissait Mme Servaize. Elle en oubliait son déplaisir d'héberger Philippe et Alix, dont la visite ne l'enchantait pas.

Sylvaine remarqua, dès son arrivée, que la jeune veuve avait maigri. Son corps flottait dans ses robes immuablement noires et des ombres creusaient son visage sur lequel tranchaient avec plus de brutalité ses lèvres épaissies d'un fard violent. Elle parlait encore moins que naguère et, comme à Paris, Sylvaine rencontrait souvent, posés sur elle, ses yeux pâles et glacés. On eût dit qu'elle traînait une tristesse, et elle sursautait parfois sans raison, nerveusement. Sans doute le souvenir du drame ancien agissait-il sur elle et souffrait-elle de se retrouver dans ce décor. Mais pourquoi y était-elle venue? Personne, d'ailleurs, ne paraissait remarquer son attitude.

Mona rayonnait candidement et ses yeux ne quittaient pas Étienne. Celui-ci jouait sans effort auprès d'elle le rôle qui lui semblait dévolu dans

la vie : celui d'un homme séduisant, charmeur,
pour lequel les femmes n'auraient toujours qu'indulgence. Il prenait grand soin de sa personne,
surveillait attentivement l'accord de ses chemises
et de ses cravates ; son élégance horrifiait Philippe.

— Ce n'est pas un homme, disait-il à Sylvaine, mais un mannequin articulé. Je me l'imagine dans une vitrine de tailleur...

Mais, parfois, un regard, une parole, décelaient
chez le jeune diplomate un esprit calculateur, que
dissimulait maladroitement la grâce de ses
manières. S'il se décidait à épouser Mona Servaize, ce ne serait qu'une fois certain de trouver
en cette union des avantages tangibles. Bien qu'il
prolongeât son séjour plus qu'il n'était prévu, il
ne s'avançait pas ; son amabilité envers Mona
demeurait prudente et réservée. Sans doute pre-
nait-il des renseignements. Et Philippe, qui connaissait exactement la situation de fortune des
Servaize et qui était doué d'une de ces natures
opiniâtres qui renoncent difficilement, pensait
que la jeune fille serait peut-être un jour heureuse
de s'appuyer sur un cœur fidèle, pour oublier un
cœur vénal.

Quant à Sylvaine, la présence d'Étienne et de
sa cousine devint au bout de quelque temps pour
elle un véritable supplice, à cause de la coquetterie déployée par Jenny envers Hervé, de sa
manière impérieuse de disposer du temps et de la
voiture du jeune homme, de lui sourire en tendant
vers lui son joli visage bien fardé et toutes les
grâces de son agréable personne un peu trop
potelée. Si le jeune homme paraissait insensible
à ses avances, il ne pouvait cependant se montrer
impoli et abandonner son invitée pour s'occuper
de Sylvaine qui demeurait, aux yeux de tous,
simplement la secrétaire de son père. L'automobile

de M. Servaize étant restée à Paris, parce que celui-ci, âgé, sujet à des malaises, redoutait depuis quelque temps de conduire, il était d'autant plus difficile à Hervé de se soustraire à ses obligations de courtoise et l'on comptait sur lui et sa voiture pour les randonnées et excursions que les jeunes gens faisaient en groupe, parmi les campagnes ou sur les plages.

De ces promenades, Sylvaine, retenue par ses obligations auprès de M. Servaize, se trouvait exclue. Et elle souffrait d'être ainsi tenue à l'écart. En outre, Jenny ne perdait aucune occasion de lui montrer son dédain et, par moments, Sylvaine eût pleuré de solitude humiliée. Mon Dieu, serait-elle toujours solitaire, méprisée ? Plus que jamais son amour était son espoir... Mais elle n'avait que peu d'occasions de voir Hervé en particulier, de lui parler... Quand ils parvenaient à s'isoler un court instant, il la prenait dans ses bras, frôlait ses cheveux d'un baiser, en disant de sa voix tendre :

— Patience, chérie... C'est l'affaire de quelques jours...

... Quelques jours... Il peut arriver tant de choses en quelques jours !...

— Hervé...

Elle ne disait rien d'autre que son nom, pour le plaisir de le prononcer tout haut... Pendant le temps qu'il la tenait ainsi, la certitude de son amour passait en elle, lui insufflant l'espoir et la joie, comme au cours d'une transfusion sanguine s'insuffle la vie. Mais vite, il leur fallait s'éloigner l'un de l'autre ; et cela semblait ensuite à Sylvaine un jeu cruel de paraître s'ignorer.

*
* *

Un après-midi, la voiture d'Étienne se refusa à partir ; il fallut faire venir le mécanicien qui ne put exécuter la réparation le jour même. Celle de Maxime était dans un garage de Rouen, à la suite d'un accrochage survenu de nuit à la sortie d'un bar, ce qui contraignait le frère de Mme Servaize à demeurer au Mesnil ; il ne restait de disponible que la petite voiture d'Hervé, qui ne pouvait contenir tous les jeunes gens.

— Tant pis! dit Mona, philosophiquement, nous ne sortirons pas, pour une fois!

... Toute la famille se trouvait dehors, installée à l'abri d'un cèdre, autour d'un guéridon sur lequel étaient servis le café et les liqueurs. Il faisait un temps magnifique. Le ciel s'étendait comme un voile bleu, sans ces nuages brumeux qui l'assombrissent si souvent dans ces contrées ; le soleil éclaboussait les feuilles, l'herbe de la pelouse, les roses grimpantes alourdies d'une moisson odorante et les gros hortensias. Ses rayons baignaient la façade de la vieille maison, révélant les détails de l'architecture, les veines des solives de chêne entrecroisées sur les pignons ; mais les encorbellements, les saillies surplombantes des étages, les auvents des fenêtres, y maintenaient en de nombreux endroits une ombre dense.

— Alors, qu'allons-nous faire ? demanda Jenny d'un ton déçu.

Cette jeune personne ne pensait pas, en effet, qu'on pût passer une journée agréable sans se déplacer, aller ailleurs voir le plus de monde possible, et surtout être vue.

— Nous regarderons la nature et écouterons chanter les petits oiseaux, dit Philippe.

Jenny lui lança un regard méprisant.

— Merci beaucoup. Si c'est tout ce que vous avez à nous offrir comme distractions, ce n'est pas très réconfortant!

Tournée vers Mona, elle fit :

— *Darling* chou, n'avez-vous rien de mieux à nous proposer que ce morne divertissement bucolique ?

Elle parlait d'une voix traînante, au diapason aigu, pour se donner un genre aristocratique dont sa personne physique trop rondelette était dépourvue. Elle avait adopté envers Mona une attitude d'amitié artificielle par quoi elle s'autorisait à une plus grande familiarité avec Hervé, mais tenait à distance Philippe et Sylvaine qu'elle unissait dans le même dédain. Mona réfléchissait.

— Je ne vois pas...

Puis, tout d'un coup, son visage s'éclaira.

— Oh! il me revient à l'esprit qu'il y a, non loin d'ici, une excursion à faire...

— Tu veux parler du Saut du Maudit? fit Hervé.

— Oui.

Étienne s'arracha à sa nonchalance pour remarquer :

— Quel nom singulier et... effrayant!

Mona prit un air entendu.

— C'est qu'il se rapporte à une histoire singulière et... effrayante!

D'un geste distingué, Étienne fit tomber la cendre de sa cigarette dans un cendrier à sa portée et son regard caressant enveloppa la jeune fille.

— Racontez-nous cela...

Mona secoua ses boucles et, d'un ton pénétré, répéta le récit de la mère Dumu. Mais, raconté par sa petite voix claire dans la resplendissante

lumière de l'après-midi, la légende perdait beaucoup de son horreur. Cependant, ceux qui ne la
connaissaient pas furent intéressés.

— Très curieux, estima Étienne.

— Et vous dites que le Saut du Maudit se
trouve à proximité? s'enquit Philippe.

— Oui, à quelques kilomètres, paraît-il.

— Pourquoi n'irions-nous pas voir cela? reprit
le jeune homme. Ce serait un but de promenade.

— C'est ce que je voulais vous proposer.
Qu'en dites-vous, Jenny?

... Jenny faisait la moue. Elle n'éprouvait aucun
enthousiasme à la pensée de marcher à travers
bois par des chemins probablement impossibles,
encombrés de ronces où elle risquerait d'égra-
tigner l'épiderme satiné de ses jambes, pour voir
une curiosité d'un intérêt contestable. Puis elle
pensa qu'elle aurait peut-être l'occasion de prendre le bras d'Hervé, de s'appuyer sur lui de manière à lui faire sentir la souplesse et l'élasticité
de sa taille, et de l'arracher enfin à une indifférence injurieuse. Elle eut un geste gracieux de
sa tête rousse.

— Pourquoi pas, après tout? Cela nous ferait
passer le temps jusqu'au dîner.

D'un bond, Mona se levait de sa chaise.

— Alors, en route! Qui m'aime me suive!

Il n'est jamais désagréable de se sentir admirée
et la présence de ses deux amoureux grisait un
peu l'innocente Mona... Tournée vers Sylvaine,
elle décréta :

— Sylvaine, il faut que vous veniez avec nous!
Pour une fois, papa se passera de vous!

M. Servaize leva les yeux du journal qu'il lisait
ou faisait semblant de lire.

— Cette enfant me fait une réputation de
tyran, soupira-t-il. Bien entendu, mademoiselle

Sylvaine, vous pouvez disposer de votre après-midi et visiter le gouffre si cela vous chante.

Une faible joie courut sur le visage de la jeune fille.

— Je vous remercie, monsieur, dit-elle.

Jenny fronçait les sourcils. La grâce de Sylvaine, ses cheveux blonds, ses yeux trop beaux, lui portaient ombrage.

— Et vous, Alix, demanda Mona, venez-vous aussi ?

La jeune veuve, très mince dans un pantalon noir sur lequel était posé un chandail noir et jaune, tardait à répondre ; ce fut Maxime, silencieux et maussade jusqu'alors, qui prit la parole.

— En tout cas, dit-il, ne comptez pas sur moi pour vous accompagner dans cette excursion idiote! J'ai eu mon compte de métaphysique l'autre soir avec cette histoire et je me refuse aujourd'hui à toute émotion nouvelle.

Il étendit sa main tavelée de roux vers une des bouteilles du guéridon et se versa une rasade de calvados qu'il lampa d'un trait.

— Je préfère rester ici, en compagnie de cet alcool, du reste exécrable.

— Je reste aussi, dit Alix. J'ai un peu de migraine et j'irai me coucher.

M. et Mme Servaize refusant de participer à cette expédition, les jeunes gens demandèrent leur chemin à la mère Dumu et, dûment renseignés, se mirent en route.

Ils marchèrent longtemps dans des sentiers bordés de bruyères et de hautes fougères qui couraient, se croisaient, s'enchevêtraient à travers les bois de chênes et d'ormes. Par endroits, les arbres rapprochés, enlacés formaient des voûtes dont le prolongement ressemblait à des couloirs de couvent. Des souffles venaient de la profon-

deur des taillis. Parmi le doux bruissement des
ramures, les cris d'oiseaux, l'odeur des feuilles
et des mousses, Sylvaine se laissait aller à un
bien-être sans pensées, où ses inquiétudes glissaient comme le reflet des nuages sur l'eau. Mais,
bientôt, quelque chose changea dans l'atmosphère des bois ; les arbres prirent un aspect
tourmenté ; les troncs simulaient des contorsions
humaines et les coups de bec d'un pivert contre
un chêne se répétaient comme un signal. Hervé,
qui avait pris la tête de la file, s'arrêta.

— Nous sommes arrivés... C'est ici.

Tourné vers ses compagnons, il ajouta :

— Attention! Il y a du danger...

Le Saut du Maudit était une sorte de brèche
de forme circulaire, ouverte brusquement dans
le sol et dont la végétation et les ronces dissimu-
laient les bords. Rien n'avertissait du danger ;
le chemin débouchait brusquement sur cet abîme
que ne défendait aucun garde-fou, tandis que,
sur le côté opposé, des quartiers de roches aux
formes aiguës, s'étageant jusqu'à l'eau noire et
fétide, pouvaient figurer les ruines du monastère
détruit.

... C'était un lieu de tristesse, de désolation
et de mort. Une odeur de pourriture, d'eau crou-
pie, s'en exhalait ; alentour, les oiseaux se taisaient. Un calme lugubre était dans l'air. Cependant les branches gémissaient et l'on croyait
reconnaître la plainte des damnés précipités au
fond du gouffre. Des sapins mettaient parmi la
verdure une note funèbre et de grandes digitales
rouges, dressées çà et là, faisaient penser à ces
cierges écarlates qu'on allume, dit-on, dans certaines contrées du Tyrol, auprès des corps de
ceux qui moururent tragiquement. Sous l'emprise du monde ignoré et puissant qu'ils sentaient

autour d'eux, les jeunes gens demeuraient silencieux. Le premier, Philippe secoua cette impression.

— En vérité, dit-il, c'est un étrange endroit! Et je ne m'étonne pas qu'on y ait situé une légende.

— Je ne sais pas si, comme cela se produit généralement, il y a un point de départ réel à l'histoire qui nous fut contée, dit à son tour Étienne, mais il faut convenir que ce lieu paraît voué au drame.

— Oui, c'est un coin à avoir peur, dit Mona d'un ton troublé. Je n'aimerais pas y venir seule.

Hervé approuva de la tête.

— Sans compter qu'il serait très facile de glisser dans ce gouffre et d'y trouver une mort certaine.

... On avait l'impression que le gouffre, insatisfait, réclamait une autre victime... Et peut-être que, bientôt, une autre voix ajouterait sa clameur à celles qui hantaient cet endroit sinistre.

Mona frissonna.

— Allons-nous-en, dit-elle. Il fait froid, ici...

Jenny n'avait rien dit, mais son air renfrogné disait ce qu'elle pensait de cette promenade. Le retour s'effectua tout d'abord en silence, puis le sentiment de malaise éprouvé par les jeunes gens auprès de l'abîme se dissipa et les conversations joyeuses reprirent. Le ciel était moins bleu, le soleil envoyait sur les feuilles et les mousses des rayons affaiblis. Jenny, se plaignant d'être fatiguée, prit d'autorité le bras d'Hervé. Dans l'étroit sentier bordé de fougères où ils cheminaient deux par deux, Étienne marchait en avant avec Mona ; Jenny venait ensuite près d'Hervé ; Philippe et Sylvaine fermaient la marche, également silencieux et mélancoliques. Quand Syl-

vaine voyait Jenny se pencher vers Hervé, le
frôler de son épaule découverte par le décolleté
à la mode, elle avait envie de s'élancer vers eux
pour les séparer. Et les regards souffrants de Philippe allaient vers la petite silhouette de Mona qui
tournait vers Étienne son visage rayonnant. Les
yeux des deux délaissés se croisèrent et ils échan-
gèrent un sourire crispé où se dévoilait une même
détresse.

Quand le groupe arriva en vue de la maison,
Sylvaine aperçut Maxime et Alix qui marchaient
l'un près de l'autre dans une allée au fond obscur
sur lequel leurs visages se détachaient et prenaient un dessin inhabituel, inconnu. Et leur
attitude aussi était inhabituelle. Se départant de
son coutumier silence, Alix parlait avec anima-
tion et Maxime l'écoutait en silence, lançant parfois en l'air, d'un air de dérision et d'ironie, une
bouffée de sa cigarette. Ils disparurent derrière
un bosquet.

Jusqu'à ce moment, Sylvaine n'avait jamais
pensé à s'informer ni à réfléchir sur le genre de
sentiment existant entre Alix et Maxime. A les
voir ensemble, elle se demanda si ce n'était pas
pour avoir l'occasion de parler avec Maxime que
la jeune veuve avait choisi de rester à la maison
plutôt que de les accompagner... L'intuition qu'ils
étaient alliés pour une cause aux ténébreux enche-
vêtrements bougea au fond d'elle-même, mais
s'arrêta à mi-chemin de son esprit ; cependant,
son cœur se serra sous une impression désagréable
qui ne s'effaça pas.

*
* *

Le lendemain, Sylvaine, debout près du perron, regardait Étienne, Mona et Alix s'installer

dans l'automobile, remise en état, du jeune diplomate, tandis que Jenny prenait place auprès
d'Hervé dans sa petite voiture grise. Les jeunes
gens se rendaient à Dieppe où ils devaient assister au baptême d'un bateau. Sylvaine, retenue
par ses occupations, ne pouvait les accompagner
et elle les regardait comme l'enfant pauvre
regarde jouer les enfants riches. Après avoir connu
l'éblouissement de toucher le bonheur, elle éprouvait la crainte de ne plus trouver que le vide en
étendant les bras.

Il faisait beau, le soleil tombait si brillant sur
les plantes que les feuillages en prenaient un éclat
métallique. Mona était ravissante dans une robe
de toile du même bleu que ses yeux ; la rousse
Jenny portait une robe blanche, trop décolletée
comme d'habitude, et des sandales vertes assorties
à son sac. Alix, dans son pantalon noir et son
blouson « arlequin », un peu Saint-Germain-des-
Prés, faisait une tache sombre, peu en accord
avec le paysage.

Quand chacun fut installé, les voitures se mirent en route. Au moment de partir, Hervé se
tourna et sourit à Sylvaine, d'un air navré et
tendre, par lequel il lui disait son ennui de ne pas
l'emmener. Elle répondit à son sourire et lui envoya en même temps ses pensées, son cœur...
La voiture s'éloigna, disparut dans l'allée... La
jeune fille eut un soupir.

— Bonjour, dit une voix.

... Elle sursauta. Maxime se tenait près d'elle.
Elle ne l'avait pas revu en particulier depuis la
scène qui s'était déroulée dans le bureau et elle
ne put s'empêcher d'éprouver un sentiment d'appréhension, d'autant plus grand qu'il semblait
d'excellente humeur.

— Bonjour, belle Sylvaine, répéta-t-il.

Il s'inclina dans un salut gracieux. Les rares cheveux collés sur son crâne lui faisaient une petite tête d'oiseau. Oui, il ressemblait au corbeau sinistre, entêté à planer dans les bois sur les têtes proches de Sylvaine et d'Hervé...

— Bonjour, monsieur, dit la jeune fille, froidement.

Il fixait sur elle ses yeux mornes.

— Vous êtes ravissante, ce matin, dit-il. Un peu pâle et mélancolique, peut-être?

Il hocha la tête et, désignant du geste la direction dans laquelle les voitures venaient de partir, il reprit :

— Ah! c'est qu'il faut beaucoup d'altruisme pour se réjouir de la joie des autres!

Sans répondre, elle se disposait à s'éloigner, mais il lui barra le passage.

— Pourquoi partir si vite? Ne seriez-vous pas satisfaite de me voir?

Elle haussa les épaules.

— Cette question est-elle nécessaire?

— Mais oui! J'espérais que vous alliez me donner un démenti. Je constate, hélas! que vos sentiments à mon égard sont demeurés les mêmes...

Des nuages, à présent, couraient à travers le ciel ; il y avait dans l'air une menace suspendue, une méfiance.

— Vous me détestez, n'est-ce pas? reprit Maxime.

Elle répondit d'un ton assuré :

— Je n'ai aucune raison d'avoir de la sympathie pour vous...

— J'en suis désolé, croyez-le bien. Mais qu'y faire?

Il arracha à un arbuste épineux une brindille dont il fouetta l'air à chacune des paroles qu'il prononça ensuite.

— Donc, vous me haïssez... et vous aimez
Hervé... Ce cher et charmant Hervé, si empressé
auprès d'une autre en ce moment!

... Comme il savait la torturer! Quel démon
était donc cet homme pour avoir deviné sa jalousie envers Jenny?

— Vous aimez Hervé, reprit Maxime, et vous
avez tort de vous complaire dans ce sentiment,
car il ne sera jamais votre mari ; je vous en ai
prévenu — et il ne s'agissait pas d'une menace
vaine, ni de paroles en l'air... Je sais ce que je
dis. Hervé épousera peut-être Jenny, ou une
autre, mais pas vous. Même si vous ne m'épousez
pas, vous ne serez jamais sa femme.

Cet homme avait le pouvoir de désespérer Sylvaine. Il lui fallut faire un effort prodigieux pour
commander à sa voix, à ses traits.

— Je me demande bien comment vous pour-
riez agir sur nos volontés! dit-elle.

— J'en ai le moyen, soyez-en certaine!

— Vous êtes fou!

Elle tenait la tête haute et le contemplait avec
mépris. Mais un petit frémissement, au coin de
sa lèvre, révélait que son calme était plus affecté
que réel.

Il éclata de rire.

— Fou? Peut-être... C'est toujours ce qu'on
dit des gens très intelligents...

Son visage prit une expression de ruse infernale.

— Et je suis remarquablement intelligent,
vous pouvez m'en croire. J'ai eu l'occasion de
le prouver. Et c'est pour cela que je viendrai à
bout de votre répugnance pour moi et de votre
amour pour Hervé.

... A quelque distance, Abel Dumu fauchait
l'herbe. Il appliquait à sa besogne toute l'intel-

ligence dont il disposait et ne s'occupait pas d'autre chose. De temps en temps, il s'arrêtait, essuyait la sueur qui coulait sur son visage et se remettait au travail. Sa chemise bâillait sur sa poitrine énorme ; ses longs bras, ses poignets musculeux, révélaient une force herculéenne.

— Ah! voici notre sympathique crétin, dit Maxime, suivant le regard de la jeune fille. Si vous avez, comme je le crois, un peu d'influence sur lui, faites-lui donc prendre un bain, c'est de première nécessité...

Fouettant l'air de sa badine, il s'éloigna d'une démarche désinvolte. En passant devant Abel qui, tout à son ouvrage, ne l'avait pas entendu approcher, saisie d'une lubie d'ivrogne, de toutes ses forces il frappa de sa baguette le bras de l'innocent...

Effaré, ne comprenant pas ce qui venait de lui arriver, Abel considéra d'un air hébété le sang qui coulait sur sa peau hâlée. Puis sa pensée engourdie, lentement, se mit en route et, tout en essuyant sa blessure d'un mouchoir crasseux, il regarda autour de lui ; il vit alors Maxime qui s'éloignait, sifflotant une chanson à la mode et, sous ses sourcils broussailleux, ses yeux inégaux eurent une lueur dangereuse.

**

Cette journée allait se terminer par un incident aux conséquences incalculables...

Le dîner finissait. Par les fenêtres entraient les ténèbres parmi lesquelles luisait parfois la lueur opaline d'un rayon de lune glissant entre les nuages. Il faisait orageux et la chaleur arrachait aux murs, aux meubles, aux charpentes taraudées par les insectes des craquements, des plaintes, ainsi qu'un remugle de bois et de poussière.

De temps à autre, la porte s'ouvrait, la servante venait passer les plats, puis repartait, et la conversation, un instant suspendue, reprenait. Ce soir-là, fidèle à son personnage de brillant causeur pour lequel rien n'est ignoré, Étienne faisait parade de ses goûts artistiques et de ses connaissances en antiquités. Après avoir complimenté le maître et la maîtresse de céans sur les curiosités et le caractère de leur maison, il ajouta :

— Et vous avez là une fort belle cheminée...

Mme Servaize qui, durant le repas, faisait subir à son visage une continuelle gymnastique, de façon qu'il fût tour à tour empreint de souriante bienveillance, ou marqué de sèche autorité, selon qu'elle s'adressait à ses hôtes ou à la domestique, dirigea vers le séduisant jeune homme un sourire épanoui.

— Vous trouvez ?

— Certes. Les cheminées de bois sont relativement rares. Ma famille possédait naguère un château où s'est écoulée mon enfance, et je me souviens qu'il y en avait deux de ce genre.

Maxime, comme à l'accoutumée, avait peu mangé et beaucoup bu ; il occupait en ce moment ses doigts parsemés de poils roux à rouler des boulettes de mie de pain.

— Je ne trouve rien d'extraordinaire à celle-ci, fit-il.

— Le travail du bois est curieux, affirma Étienne.

La belle Cécile ne perdit pas cette occasion de faire valoir son bien.

— Voyez-vous, on ne fait jamais cas de ce que l'on possède... minauda-t-elle. Cette cheminée n'est pas mal, mais il y en a une autre, également en bois, dans la pièce où mon mari travaille. Elle est encore mieux sculptée que celle-ci...

Le repas était fini ; elle se leva et, s'approchant de son mari, elle fit :

— Jérôme... montrez donc à M. d'Amblemont la cheminée du cabinet de travail...

M. Servaize, émergeant de l'espèce de torpeur dans laquelle il sombrait fréquemment, répéta :

— La cheminée du cabinet de travail ?

— Oui. M. d'Amblemont serait heureux de la voir.

— Bien entendu, je ne voudrais pas être indiscret, fit le jeune homme.

Un coup d'œil impérieux de sa femme incita M. Servaize à plus d'amabilité qu'il n'en témoignait.

— Oh ! du tout, fit-il. Il est un fait que je n'ai jamais accordé de curiosité à cette cheminée. Allons la voir, puisque ma femme le désire et que cela vous intéresse.

— Beaucoup.

— Dans ce cas...

M. Servaize prit un flambeau et invita :

— Voulez-vous me suivre ?...

Précédant ses invités, il prit le couloir et se dirigea vers la pièce où, cinq années plus tôt, Mlle Chandonnay avait trouvé une mort tragique. Sylvaine, qui ne trouvait pas grand intérêt à la question et qui connaissait, en outre, fort bien la cheminée, tout d'abord hésita à le suivre ; mais, voyant que Maxime demeurait sur place, elle craignit de rester seule avec lui et se décida à faire comme les autres. La journée, chargée de mille corvées harassantes, avait été dure pour elle et, ce soir, la fatigue alourdissait ses pensées comme son pas et paralysait son intuition.

Une fois dans le bureau, M. Servaize posa son

flambeau sur le secrétaire et Sylvaine s'appuya au mur avec un petit soupir de fatigue. Étienne regardait les solives noircies, les lambris, les vieux meubles et, avec ce sourire et cette attitude qui amenèrent sur les lèvres de Philippe l'épithète de « Poseur, va! », il remarqua :

— Si l'on pouvait faire parler les vieux objets, on entendrait peut-être ici d'étranges histoires!

Il y eut parmi les hôtes un silence qu'il ne songea pas à interpréter ; s'approchant de la cheminée, il se mit à en palper les panneaux de bois sculptés.

— Magnifique travail, apprécia-t-il, surtout quand on pense aux outils primitifs dont disposaient les artisans d'alors! Mais la patience, l'amour de leur profession, y suppléaient et leur permettaient de tirer de la matière inerte des chefs-d'œuvre de vie...

Mona le regardait avec admiration ; Jenny, de sa main aux ongles vernis, dissimulait un discret bâillement... Hors de la lumière du flambeau, la pièce était obscure, ses limites incertaines. Les rideaux volaient devant les fenêtres ; la flamme des bougies allait et venait, sous un souffle invisible. A la pénombre, au hululement triste du vent, il se mêlait à présent quelque chose d'oppressant, d'attentif. Insensible aux impondérables, Étienne continuait à pérorer, ne se rendant pas compte que son rôle changeait, qu'il allait passer de la comédie de salon au drame, et devenir un instrument de la fatalité...

— Remarquez l'expression de ce visage, le détail du plumage de l'oiseau...

Il suivait de la main le contour des figures et animaux fantastiques qu'un artiste inconnu, mort depuis plusieurs siècles, avait tracés... Tout d'un coup, il poussa une exclamation :

— Oh!

Contre le mur, Sylvaine avait fermé les yeux ; l'exclamation du jeune homme les lui fit rouvrir brusquement.

— Qu'est cela ?

... Un déclic venait de se faire entendre. Sur un des côtés de la cheminée, un panneau se déplaçait, dévoilant dans l'épaisseur du bois une fente de quelques centimètres.

... Ce fut vraiment un instant étrange et, par la suite, la scène demeura dans le souvenir de Sylvaine comme un songe, avec ses incohérences et la stupéfaction des visages crûment éclairés par la flamme des bougies qui laissaient ailleurs de grandes ombres noires, et les voix dont le son n'arrivait à ses oreilles fatiguées qu'amorti, comme ouaté, enveloppé de brouillard...

— Par exemple !

— Il y a là une cachette !

— Cela ne fait aucun doute...

Les exclamations se croisaient, chacun se penchait pour mieux voir... Jenny eut un petit rire énervé.

— C'est tout à fait excitant, dit-elle. Qu'allons-nous trouver là-dedans ?

— Oh ! un trésor, sans aucun doute ! répondit Mona.

— Ou simplement de vieux papiers...

... Cependant la cachette ne se dévoilait encore que par l'écartement entre les deux morceaux de bois et l'on ne pouvait rien présumer de son contenu. Le ressort dont on avait entendu le déclic n'avait pas dû manœuvrer à fond. Étienne promena à nouveau ses mains sur les sculptures, mais il lui fallut un certain temps pour retrouver le bouton, dissimulé dans une saillie, qui actionnait le mécanisme. Il le pressa à nouveau, l'ouverture s'élargit un peu, mais ce n'était pas encore suffisant.

— Laissez-moi faire, dit Hervé.

Il inséra la pointe d'un coupe-papier pris sur le bureau dans la fente ; cette fois, le panneau s'écarta et se transforma en un solide tiroir de quarante centimètres de côté environ. Et ce tiroir n'était pas vide : il contenait des liasses de billets de banque retenus par des élastiques et des rouleaux de pièces d'or alignés dans une petite boîte métallique...

A ce moment, Maxime apparut dans l'encadrement de la porte. Après réflexion, et s'ennuyant sans doute, il avait pris le parti de venir retrouver les autres. Dès l'entrée, il discerna dans l'attitude des assistants groupés autour de la porte quelque chose d'anormal.

— Que se passe-t-il ? demanda-t-il.

Un coup d'œil vers la cheminée, l'espace béant dans le panneau de bois, l'avertirent de ce qui venait de se passer ; il découvrit également le tiroir dont Hervé était en train d'examiner le contenu... Il ouvrit la bouche et il la referma, avec une singulière grimace, mais sans proférer une parole, et son visage convulsé fut curieux à observer... Il était très pâle, des gouttes de sueur perlaient à ses tempes et son regard fixe avait une expression hébétée.

Sylvaine était jusqu'à présent demeurée enveloppée d'une espèce de torpeur. Elle se détacha du mur auquel elle s'appuyait, s'avança au milieu de la pièce et prononça d'une voix hallucinée :

— Il se passe qu'on vient de découvrir la preuve de l'innocence de mon père, emprisonné depuis cinq ans sous l'accusation d'avoir tué pour s'emparer de la somme trouvée dans cette cachette!

Et, pendant qu'elle parlait, elle pensa qu'elle

savait à présent ce que voulait lui communiquer
Mlle Chandonnay quand elle croyait sentir sa
présence occulte autour d'elle et qu'elle connaissait
la raison profonde de sa venue au Mesnil. Les
assistants, comprenant qu'il se passait quelque
chose dont ils ne possédaient pas la clef, se regar-
dèrent avec stupéfaction.

    ... Épuisée de fatigue et d'émotion, la jeune
fille oscilla et elle fût tombée si Hervé ne s'était
élancé vers elle pour la soutenir.

CHAPITRE XIII

Quand, avec l'aide affectueuse de Mona, Sylvaine eut quitté la pièce pour gagner sa chambre,
une stupeur continua à peser sur ceux qui demeuraient là, comme si le temps se fût ralenti, eût
perdu de sa valeur. Sous la lumière crue des
bougies, les visages se déformaient cruellement.
M. Servaize, une main posée sur les billets de
banque contenus dans le tiroir, semblait pétrifié
pour l'éternité dans la même attitude. Des tics
soulevaient chacun des muscles de la face de
Maxime, comme si des fils les eussent tiraillés.
Dans son visage immobile et plat comme celui
d'un sphinx, la bouche d'Alix ressortait bestialement ; Mme Servaize arrondissait les yeux avec
cet air vexé que prennent les personnes susceptibles devant une plaisanterie qu'elles ne comprennent pas. La mâchoire un peu lourde de Philippe révélait son opiniâtreté et la jolie figure de
Jenny paraissait vulgaire. Seuls, les beaux traits
purs et noblement dessinés d'Hervé supportaient
sans dommage le dur éclairage. Ce fut Jenny qui,
la première, prit la parole.

— On se croirait au cinéma, fit-elle avec un

petit rire affecté. Voici le drame, après la découverte du trésor — trésor tout relatif, d'ailleurs.
Mais les bonnes traditions se perdent...

L'enchantement dissipé, les gestes, les voix,
redevenaient naturels ; chacun rentrait dans l'ordre
normal de ses préoccupations.

— C'est vrai, dit Mme Servaize, les billets sont
périmés, et ils n'ont plus de valeur...

Elle fronça les sourcils, tandis que Jenny poursuivait :

— En tout cas, pour le drame, il faut reconnaître que Mlle Sylvaine s'y entend! Vous comprenez ce qu'elle a voulu dire ?

Elle s'adressait à chacun à la ronde. Hervé
inclina la tête.

— Oui.

— Ah! Et qu'est-ce que c'est que cette histoire ?

Vexée de l'élan qu'Hervé avait eu pour porter
secours à la jeune secrétaire, elle laissait percer
dans sa voix si bien contrôlée une certaine irritation.

— Cette histoire, dit le jeune homme lentement,
est un drame affreux, qui se déroula ici même, il y
a quelques années...

— Ici ?

— Oui, dans cette pièce.

En quelques mots, il narra le meurtre de l'ancienne propriétaire du Mesnil et la condamnation
de Charles Bréal, son filleul et plus proche voisin,
condamnation basée sur ce qu'on le supposait
avoir volé la somme découverte ce soir. Des exclamations ponctuaient son récit. Quand il eut fini,
Jenny, avec une moue, remarqua :

— Ainsi, Mlle Sylvaine est la fille d'un homme
actuellement en prison pour assassinat! A ses
manières, je ne l'aurais jamais cru! Et je vous

admire d'avoir eu le courage de l'introduire chez
vous... A votre place, je ne l'aurais sûrement pas
fait!

— Mais, explosa Mme Servaize, je viens d'apprendre tout cela! Avant ce soir, j'ignorais cette
affaire... Sinon je n'aurais jamais admis Mlle Servaize chez moi!

— Moi, dit M. Servaize d'un ton sourd, je le
savais.

Il enleva ses lunettes et promena autour de lui
un regard où se lisait une sorte de défi, et scanda :

— C'est en toute connaissance de cause que
j'ai engagé Sylvaine pour laquelle j'éprouve une
particulière estime.

Mme Servaize eut un furieux haussement
d'épaules.

— Mon mari devient philanthrope, railla-t-elle.
Bientôt, il ramassera les vagabonds pour les loger
chez nous!

Les yeux d'Hervé lancèrent un éclair.

— Sylvaine n'est pas une vagabonde, vous le
savez, dit-il. Et nous venons d'avoir la preuve
que son père est innocent.

Il lui fallait toute la force de son éducation
pour ne rien montrer de sa colère, pour demeurer
courtois. Avec exaspération, Mme Servaize rétorqua :

— Peut-être. Mais, en attendant, il est en prison!

Elle ne sortait pas de là ; son jugement tombait, comme une hache. Sur un ton badin, Jenny
ajouta :

— Et tout de même, ce n'est pas une référence
pour sa fille, avouez-le!

Hervé posa sur elle un méprisant regard.

— En effet, il eût certainement mieux valu
pour elle être la fille d'un chenapan en liberté...

d'une de ces canailles honorées, comme on en rencontre journellement, et devant lesquelles le monde s'incline, parce qu'elles ont la fortune!

Étienne modula un rire distingué.

— Vous aimez le paradoxe, mon cher! dit-il. Après tout, c'est un jeu comme un autre.

— Un jeu! répéta lentement Hervé. Non, je ne puis considérer comme un jeu le sort affreux d'un innocent condamné à tort qui expie depuis cinq ans une faute qu'il n'a pas commise... ni le fardeau de peines supporté par sa fille contrainte de lutter seule pour sa vie et celle de son aïeule... Et je m'étonne qu'on puisse ne pas être ému des souffrances d'autrui, des injustices de ce monde...

De voir le beau visage du jeune homme s'émouvoir et sa voix s'adoucir pour parler de Sylvaine, Jenny s'irrita davantage et perdit toute mesure.

— Oh! dit-elle, je ne me casse pas la tête sur de tels problèmes! Et je ne suis pas don Quichotte, pour me battre contre les moulins à vent! A chacun son destin...

En vérité, elle ne s'était jamais inquiétée de l'agencement dramatique de certaines vies humaines, elle considérait le malheur et la tristesse comme une sorte de lèpre dont on se détourne.

— ... Et les juges devaient bien avoir des raisons de suspecter ce Charles Bréal, reprit-elle. Quant au fardeau de Mlle Sylvaine, elle me paraît le porter allégrement, et dans de seyants atours. En outre, elle sait admirablement jouer de la prunelle...

Elle voyait bien qu'elle contrariait Hervé, mais elle se laissait emporter par son dépit. Le jeune homme s'abstint de répondre, et il y eut un instant de silence. Un peu à l'écart, Alix demeurait immobile, la face distraite et inerte. Seul indice de son trouble, la cigarette qu'elle oubliait de fumer s'était éteinte entre ses doigts. Philippe, dont le cerveau bien organisé voyait tout de suite les choses sous leur aspect réaliste, prit alors la parole :

— Il va falloir faire dès demain une déclaration à la gendarmerie, dit-il. C'est très important, et il ne faut pas attendre, puisque la libération de ce malheureux, emprisonné injustement, en dépend.

— Ce sera fait, dit M. Servaize.

Il continuait à appuyer sur le tiroir, d'un geste machinal, sa main gonflée aux veines apparentes, et Hervé le regardait d'un air soucieux. Il avait, depuis quelques jours, remarqué chez son père une rigidité d'un côté du visage, en même temps qu'un bredouillement de la parole, qui lui faisaient soupçonner que M. Servaize pouvait très bien avoir eu une petite attaque passée inaperçue. Mais Mme Servaize ne saurait jamais voir plus loin que le cadre étroit où s'enfermaient son cœur aride et sa pauvre imagination. Elle ne se préoccupait pas du changement survenu chez son mari ; et elle ne voyait, de la tragédie révélée, que les mesquins à-côtés.

— Que d'ennuis en perspective! gémit-elle. Après tout, l'argent trouvé dans cette cachette nous appartient et, sans cette affaire Bréal, il eût été bien simple de ne rien dire. Je prévois que nous allons retirer de tout cela de multiples tracas et dérangements.

— Ne pensez-vous pas que, par comparaison avec ce que Charles Bréal a souffert, ce sont d'infimes désagréments ?

Hervé parlait sur le ton sec qu'il employait là-bas avec ses hommes, dans la brousse, quand une faute avait été commise dont dépendait la sécurité générale, et Mme Servaize n'osa rien répliquer.

*
* *

Le lendemain, de grand matin, les gendarmes, alertés par Philippe, vinrent au Mesnil. Ils visitèrent la cheminée et recueillirent les dépositions de ceux qui avaient assisté à la découverte de l'or et des billets dans la cachette si bien dissimulée ; les billets périmés faisant eux-mêmes l'office de témoins, par leur millésime, de la date à laquelle ils avaient été cachés ; ils les emportèrent en laissant un reçu. Palabres et déclarations occupèrent toute la matinée, à la grande irritation de Mme Servaize.

... Et, au déjeuner, Étienne d'Amblemont annonça pour le lendemain son départ ainsi que celui de sa cousine, arguant qu'il avait au courrier du matin reçu une lettre de son père le réclamant sans délai.

— Mon père est souffrant, expliqua-t-il, et je ne puis le faire attendre... Nous nous reverrons à Paris...

Il souriait agréablement, mais quelque chose de fuyant dans son regard alerta Mme Servaize. Malgré l'épaisseur de son esprit, elle devina que le séduisant Étienne battait en retraite, qu'il n'épouserait jamais Mona, et que c'en était fait de ses projets ambitieux ; et elle attribua cette faillite de ses espoirs au coup de théâtre de la veille, révélant le drame survenu naguère au Mesnil et qui, en raison de l'enquête nécessaire, allait lui redonner une déplaisante actualité. Ce ne serait que quelques jours plus tard, après le départ des jeunes gens, qu'elle prendrait connaissance de la lettre envoyée par le père d'Étienne, et oubliée par celui-ci dans un meuble. Dans cette lettre, M. d'Amblemont signalait à son fils que les renseignements pris sur les Servaize, donnant leur

fortune comme inexistante et ne correspondant
nullement à leur train de vie, il serait sage de
renoncer à perdre son temps auprès de Mona, pour
courtiser une jeune fille mieux pourvue... Il ajoutait quelques commentaires fâcheux sur Mme Servaize. Ce fut pour la vanité de la belle Cécile un
coup pénible.

Mais, en ce moment, elle rendait Sylvaine res-
ponsable de son échec ; et, tandis que Mona, déçue,
baissait la tête, les lèvres tremblantes, que Philippe ne dissimulait pas sa joie, et qu'une ironie
méchante crispait la figure de Maxime, elle dirigeait vers Sylvaine des regards furieux. Et elle
se fit un malin plaisir d'écraser la jeune fille sous
une avalanche de corvées que celle-ci accomplit
sans se plaindre. La pensée que l'innocence de
son père allait être reconnue lui donnait tous les
courages ; elle se représentait la joie du malheureux prisonnier à cette nouvelle, et cette vision
la baignait d'une douceur où s'évaporaient les
humiliations.

Au début de l'après-midi, elle eut l'occasion de
se trouver seule quelques instants avec Hervé.

— Sylvaine, ma chérie, dit le jeune homme,
ce qui vient d'arriver est miraculeux! Avec la
découverte de cet argent, le rapport des gendarmes
en faisant foi au procureur de la République, la
libération de votre père ne fait aucun doute... Il
n'y aura pas une ombre sur notre bonheur...

Elle joignait les mains.

— Oh! Hervé, c'est... inespéré!

Avec son rayonnant sourire, il affirma :

— Mon amour, vous le voyez, les plus belles
espérances, parfois, deviennent réalités! Et la
plus chère se réalisera : le mas ensoleillé, où nous
irons avec votre père, pour toujours ensemble,
bien-aimée...

Il caressait les doux cheveux blonds de la
jeune fille, baisait les palpitantes paupières, en
lui murmurant des mots tendres et des promesses.

— Libérés de ces hôtes encombrants, nous
serons tranquilles pour parler de notre bonheur,
de notre amour...

Elle le regardait avec extase. Le visage d'Hervé,
ses yeux loyaux ne l'avaient pas trompée. Il
l'aimait ; il ne s'était jamais soucié de Jenny. Le
cœur de Sylvaine se gonflait d'amour, de reconnaissance.

Et quand il l'eut quittée, sur un pressant appel
de Mme Servaize, les mots qu'il lui avait dits chantaient en elle comme une musique secrète dont elle
se grisait. Après les journées sombres, la vie semblait s'étendre devant elle comme un chemin de
lumière... Et cependant, une nébuleuse de drame
et de tourments se formait...

*
* *

C'était une journée d'août, pesante et fiévreuse.
Un souffle brûlant pesait sur la campagne, séchant
les prairies ; et la chaleur s'ajoutait à l'émotion,
à la fatigue physique, pour épuiser la jeune fille.
Tandis que les hôtes du Mesnil étaient absents,
partis pour une courte promenade, elle eut une
syncope ; au prix d'un effort douloureux, elle
parvint à faire face, comme d'habitude, à sa
tâche ; mais le soir venu, la pensée du dîner, de la
conversation à soutenir, de la curiosité dédaigneuse
d'Étienne et de Jenny, lui parut soudain au-dessus
de ses forces. Elle demanda à Mme Servaize la
permission de monter à sa chambre.

— Mais certainement, mademoiselle! répondit
la belle Cécile. Vous auriez tort de vous croire

indispensable! Et nous nous passerons très bien de vous, croyez-le bien!

Elle mettait dans sa voix tout ce qu'elle pouvait d'insulte et de mépris. Sylvaine comprenait qu'elle se heurterait toujours à ce parti pris, cette hostilité. Elle soupira avec lassitude et, sans répondre, s'éloigna. Pour gagner l'escalier qui conduisait à sa chambre, il lui fallait traverser une partie de la galerie qui coupait le rez-de-chaussée de la maison ; elle se trouvait à mi-chemin, quand Maxime parut. Elle eut conscience qu'il la guettait, et se mit immédiatement sur la défensive. En bouffonnant comme il avait pris l'habitude de faire, il dit :

— Chère et belle amie, puis-je avoir la faveur d'un entretien ?

Ce sarcasme, cet air d'ironie exécrable, donnaient envie de souffleter sa laide figure. Sylvaine le toisa avec répulsion.

— Que pouvez-vous avoir à me dire que vous ne m'ayez déjà dit ? Votre conversation ne m'intéresse pas.

Il cligna de l'œil.

— Elle vous intéressera, aujourd'hui, je vous en réponds.

Mais l'amour d'Hervé et la découverte providentielle de l'argent de Mlle Chandonnay rendaient Sylvaine forte devant son persécuteur. Elle haussa les épaules.

— Je ne le crois pas. Laissez-moi passer.

Il leva sa main maigre au poignet de laquelle brillait une chaîne d'or.

— Vous avez tort! Vous regretterez un jour de ne pas m'avoir écouté!

Après une pause, il laissa tomber :

— Il s'agit de votre père.

Sylvaine arrêta son mouvement de fuite.

— De mon père ?

— Oui. C'est très important.

... Elle hésitait, puis se décida.

— Dans ce cas, je vous écoute.

Un éclair de satisfaction parut dans les yeux mornes de Maxime.

— Très bien. Mais nous ne pouvons rester à cette place, où nous risquerions d'être dérangés.

Elle se dirigeait instinctivement vers le bureau, tout proche, mais il y eut sur le visage de Maxime une sorte de terreur, comme s'il redoutait de pénétrer dans la pièce à présent vide de son secret.

— Non, pas ici, dit-il avec une grimace. On a beau ne pas croire aux fantômes, il ne faut pas trop demander à ses nerfs...

Il fit entrer la jeune fille dans un petit salon dont un canapé un peu défoncé, et quelques chaises à dos en forme de lyre, capitonnées de velours brun, d'époque Louis-Philippe, formaient tout le mobilier. Sur la cheminée de marbre, il y avait une pendule, de marbre noir également, et deux vases d'une déprimante et funèbre laideur. Il s'exhalait de tout cela une odeur fade de vieux meubles et de pièce inhabitée dans une maison humide. La porte refermée, la jeune fille se sentit comme prise au piège ; elle se demanda par quelle aberration elle avait suivi Maxime ; et, cependant, elle demeura, comme un oiseau que fascine un serpent.

— Monsieur, dit-elle, je suis lasse, et mon intention était d'aller me reposer. Si vous avez quelque chose à me dire concernant mon père, faites-le vite...

Il inclina la tête.

— Je serai aussi bref que possible. Cependant, vous feriez bien de vous asseoir...

Elle prit place sur le bord d'un siège, mais

Maxime ne s'assit pas. Il ne se pressa pas non plus, malgré son affirmation, et prit le temps d'allumer une cigarette dont il souffla la première bouffée vers le plafond avant de commencer.

— Vous êtes heureuse, n'est-ce pas ? Vous vous croyez forte ; vous estimez n'avoir plus rien à redouter parce que vous possédez la preuve de l'innocence de votre père, puisque l'argent découvert infirme la thèse du vol pour cause du meurtre. Il est probable, en effet, que cette trouvaille entraînera la libération de Charles Bréal ; mais non pas la révision de son procès... Il en serait différemment si le testament avait été trouvé. Mais... il n'était pas dans la cachette... et pour cause !

Elle le regardait avec inquiétude, se demandant où il voulait en venir. Une main dans la poche de son pantalon, tirant de temps à autre une bouffée de sa cigarette, il allait et venait, et Sylvaine croyait voir le corbeau noir volant lourdement dans la pièce.

— Voyez-vous, reprit-il, il y a un côté de la question que vous négligez, et sur lequel j'attire votre attention.

Sylvaine continuait à scruter son visage.

— Que voulez-vous dire ?

— Votre père est innocent, soit. Mais... il y a un coupable. Quel est ce coupable ?...

Brusquement, il s'immobilisa devant la jeune fille pour mieux la tenir sous son regard.

— Il est un adage bien connu de la police et je m'étonne qu'elle l'ait négligé cette fois : cherchez à qui profite le crime...

Sylvaine frissonna longuement. C'était la fin du jour, le crépuscule venait, la pénombre envahissait la pièce aux meubles obscurs. Et la jeune fille avait l'impression d'entrer dans un monde de ténèbres, parmi lesquelles de fulgurantes lueurs révélaient un abîme où elle allait glisser... Elle eût voulu se boucher les oreilles, ne plus entendre ce que Maxime allait dire ; et cependant elle écoutait...

— Or, à qui ce crime a-t-il profité? Quel en a été le véritable bénéficiaire? Non pas Charles Bréal, le pauvre, mais Jérôme Servaize, le père de votre bien-aimé Hervé...

Elle poussa un cri sourd, et il hocha la tête.

— Allons, vous commencez à comprendre, n'est-ce pas? On n'a pas tué la vieille Chandonnay (une satanée idiote, entre parenthèses) pour lui voler son argent, puisqu'il était caché dans la cheminée, mais pour s'emparer du testament qui léguait à votre père les biens de la vieille fille. Jérôme Servaize, toujours à court d'argent, criblé de dettes à cette époque, en raison des dépenses inconsidérées de ma chère sœur, sa femme, ne pouvait admettre d'être privé d'un héritage âprement convoité!

Pour ne pas tomber dans l'abîme ouvert, pour repousser l'idée monstrueuse, Sylvaine étendit les mains devant elle et les ramena ensuite contre son cœur.

— Non... non, je ne vous crois pas! dit-elle.

— J'étais sûr que vous diriez cela...

Il tira négligemment une bouffée de sa cigarette.

— Mais j'ai les moyens de vous convaincre! Je ne parle pas sans arguments!

Il prit son portefeuille dans sa poche et en sortit un document qu'il défroissa soigneusement avant de le présenter aux yeux de Sylvaine.

— Il y a ceci, qui accuse.

La jeune fille reconnut, sans erreur possible, le testament de Mlle Chandonnay. L'écriture, très caractéristique, de celle-ci se détachait sur le papier aux plis jaunis et, en voyant les mots écrits par la vieille demoiselle, Sylvaine croyait entendre sa voix les prononcer, avec une emphase un peu solennelle, devant ses parents et elle réunis dans la salle à manger du Mesnil.

« Moi, Anne-Charlotte Chandonnay, saine de corps et d'esprit, déclare, en remerciement de ses bons soins et du désintéressement dont il a fait preuve à mon égard, en refusant à différentes reprises les sommes que je voulais lui donner, instituer mon filleul, Charles Bréal, légataire de tous mes biens, meubles et immeubles... »

Il y eut un instant de silence. A force de fixer le papier, les lettres dansaient devant les yeux de Sylvaine. Elle était comme hébétée. Puis la lucidité lui revint, et elle interrogea :

— Comment... ce papier... se trouve-t-il entre vos mains ?

Il sourit aimablement.

— Ceci est mon secret. La manière dont je me suis procuré ce document témoigne d'une remarquable subtilité d'esprit. Admettez que je l'aie pris à Jérôme Servaize au moment où il se disposait à le détruire... N'est-ce pas une explication plausible ?

Il la regardait attentivement, attendant peut-être une protestation qui ne vint pas, et il reprit d'un ton satisfait :

— Tout à fait plausible, n'est-ce pas ? Je vous l'ai dit, je suis très intelligent...

Un ricanement monta dans sa gorge. Il poursuivit :

— Il est possible que la possession de ce papier m'ait valu, de la part de mon beau-frère, quelques menus avantages, car il représente évidemment une certaine valeur marchande. C'est, j'ose dire, un bon placement.

Il lança sa cigarette dans la cheminée et fit un petit gestin désinvolte.

— Mais ne nous perdons pas dans ces détails, et revenons-en au fait : je vous l'ai dit, la trouvaille faite dans la cheminée permettra sans doute la libération de votre père, mais non la révision de son procès. Avec le testament, il en va différemment. C'est, pour votre père, l'honneur recouvré et, en même temps, la fortune injustement détenue par Jérôme lui revient. Or, j'ai le testament... Épousez-moi, et je vous le donne.

Tout en parlant, il brandissait le document. Dans les ténèbres que chaque minute faisait plus obscures, Sylvaine, les yeux agrandis, voyait le visage blafard de Maxime, et ses mains qui s'agitaient comme des bêtes immondes. Elle fit, d'une voix rauque :

— Non... Non, jamais!

Il leva les sourcils.

— Non? Ce serait pourtant la meilleure solution. Mais vous n'avez pas dit votre dernier mot. J'en suis certain. La réflexion vous rendra raisonnable!

Il replia le document et le replaça dans son portefeuille, tout en disant :

— En tout cas, vous savez maintenant, n'est-ce pas? que c'est le père de votre bien-aimé qui a commis le crime pour lequel votre propre père a subi pendant cinq ans l'opprobre et l'emprisonnement? Et je ne pense pas que vous osiez dire à cet homme qui a tant souffert, que vous aimez Hervé Servaize et que vous désirez l'épouser!

Elle supplia d'une voix déchirante :

— Taisez-vous, par pitié!

Il eut un ricanement infernal et dit avec une haine de maudit, de destructeur :

— Pourquoi me tairais-je ? Je vous avais pré-
venue, et voux voyez bien que j'avais raison,
qu'un mariage entre vous et Hervé est impossible !

Elle le regardait avec horreur. Par une porte
ouverte, on entendit un bruit de voix parmi lesquelles elle entendit celle d'Hervé ; cette voix
prenante qui disait, il y avait quelques heures
à peine :

— Pour toujours ensemble, mon amour.. »

... Et maintenant, tous ses rêves de bonheur
s'enfuyaient, comme si un mauvais génie se fût
acharné à les déchirer, à les mettre en lambeaux.
Dans la pièce obscure, l'espérance se mourait,
terrassée par l'esprit du mal...

CHAPITRE XIV

Pour fuir l'odieux visage de son persécuteur et poussée aussi par cet instinct qui fait que les animaux blessés à mort cherchent la solitude pour y mourir, Sylvaine se leva et, appuyée aux meubles comme un aveugle qui tâtonne pour trouver son chemin, elle quitta la pièce. Son trouble était si grand qu'elle ne vit pas, au moment où elle ouvrait la porte, une forme s'en écarter précipitamment et se perdre dans l'ombre du couloir. Et l'eût-elle vue que l'obscurité de la galerie que n'éclairait nulle fenêtre ne lui aurait pas permis de reconnaître la personne qui venait d'écouter son entretien avec Maxime. Elle ne soupçonna pas cette présence, ni qu'un regard énigmatique la suivait tandis qu'elle montait l'escalier de chêne noirci, gravissait, en trébuchant, les dernières marches pour courir jusqu'à sa chambre où elle se laissa tomber sur un siège. Elle y demeura longtemps, les mains enfermant ses tempes où battait la fièvre...

Il y avait dans sa tête un tel chaos qu'elle pensait devenir folle... Peut-être tout cela n'existait-il pas et allait-elle se réveiller de ce cauchemar ?

Peut-être Maxime avait-il menti? Mais non, hélas!
tout prouvait qu'il disait la vérité! Ses paroles
donnaient un sens à ce qui, jusque-là, lui paraissait
incompréhensible... Elle comprenait la raison de
l'influence exercée par Maxime sur son beau-frère :
il le tenait par la crainte que fût divulgué son
crime dont ce testament était la preuve. Cette sen-
sation bizarre éprouvée si souvent en présence
des deux hommes, cette impression d'être, dans le
moderne appartement parisien, comme dans une
maison hantée, provenaient de ces secrets, de ces
remords que traînait Jérôme Servaize. La détresse
de ses yeux cachés par ses lunettes, c'était le
remords ; son indulgence, sa générosité à son
égard et envers l'aïeule placée grâce à lui, c'était le
remords, toujours, et sans doute le souci de réparer,
si peu que ce fût, le crime commis dont un autre
portait le poids...

Et, malgré l'horreur de la révélation, la jeune
fille n'arrivait pas à haïr M. Servaize parce qu'il
avait été bon pour elle... et qu'il était le père
d'Hervé.

... Le père d'Hervé!...

Elle gémit...

... Elle ne pouvait se dérober à son devoir
envers son propre père, et ce devoir exigeait qu'elle
lui dît tout ce que Maxime lui avait appris... Elle
ne savait pas ce que Charles Bréal déciderait alors,
s'il accuserait ouvertement M. Servaize ou se base-
rait uniquement sur la découverte faite dans la
cheminée pour demander sa libération... Elle ignorait s'il voudrait se venger des souffrances endurées
en faisant punir le véritable coupable. La vengeance,
hélas! ne rend pas les bonheurs enfuis, ni ne
guérit les cœurs blessés! Mais, de toutes manières,
c'en était fait de son bonheur!

Dans son infernale cruauté, Maxime l'avait

bien compris : elle ne pouvait demander à son père d'accepter comme son enfant le fils de l'homme auquel il devait de longues années de souffrances, de l'homme coupable du crime que lui-même avait expié injustement. Une fatalité diabolique s'acharnait sur Hervé et sur elle pour les séparer !

Était-ce possible ? Tant de rêves de bonheur, tant d'amour, de tendresse, détruits à jamais ?...

Les mains crispées sur sa poitrine, elle essayait de retenir un lambeau d'espoir ; mais tout était arraché, ravagé, anéanti ! Il ne lui restait rien. Le naufragé voguant sur un radeau au milieu des flots déchaînés, tandis que s'enfonce l'épave de son navire, cherche à l'horizon quelque voile lointaine, quelque île perdue dans la brume où peut-être l'attend le secours ; mais elle ne trouvait rien à quoi se rattacher, pas une voie ouverte où pût se glisser l'espérance...

Ses yeux errants dans la pièce, éblouis, dilatés, effleurèrent le Christ placé auprès du lit ; elle chercha dans sa mémoire une prière, dans son cœur aride un élan de piété ; mais en elle il n'y avait que révolte.

« C'est trop ! disait-elle. Qu'ai-je fait pour souffrir ainsi ? »

Pourquoi les innocents sont-ils frappés autant que les coupables ? Pourquoi Hervé et elle étaient-ils punis ? Elle ne trouvait pas de réponse à ces questions que bien d'autres, hélas ! se sont posées avant elle !

... Ils n'iraient jamais, Hervé, et elle, vivre ensemble dans le mas entouré d'oliviers, tout blanc sous le soleil de Provence...

Comme ils auraient été heureux ! Une fois encore, elle recommença ce rêve, qui ne serait jamais qu'un rêve, et dans lequel elle marchait près de celui qu'elle aimait dans un chemin de lumière... Mais c'était fini, fini.

Une autre accompagnerait Hervé dans la vie. Une autre connaîtrait le doux asile de ses bras, le battement de son cœur, l'ivresse de se mirer dans ses yeux gris. Il la haïrait peut-être et la traiterait de cruelle et d'ingrate ; car, alors qu'il l'avait aimée, solitaire et méprisée, et qu'en retour elle eût dû lui consacrer toutes ses forces d'amour, elle était obligée de lui faire du mal! Et la rancune d'Hervé envers elle lui ferait vite l'oublier.

Quant à elle, son seul but, désormais, devrait être de se consacrer à son père, de lui faire l'existence assez douce pour que s'effaçât le souvenir de ses tortures. Il lui faudrait dissimuler l'horrible amertume de son cœur, cacher sa douleur et ses regrets, se montrer vaillante, et sereine... On la croirait vivante, parce que, parfois, elle réussirait à sourire ; mais, en réalité, elle serait morte, aussi morte que si elle eût reposé sous la froide pierre d'un sépulcre, tout en gardant au cœur la plaie saignante de sa peine.

La nuit, maintenant, était tout à fait venue, mais Sylvaine ne se décidait pas à faire le geste d'allumer le bougeoir placé sur la table de chevet ; elle grelottait, bien qu'une chaleur lourde continuât à peser sur la terre, et ce fut à tâtons qu'elle enleva ses vêtements et se mit au lit. Mais elle ne dormit pas. Les yeux grands ouverts, elle fixait l'obscurité où les meubles, les objets, lui semblaient prendre des formes vivantes, chuchotantes, comme si, de la vieille maison participant à son tourment, un souffle de désespoir se fût éveillé... Les heures passaient, elle ne s'en apercevait pas. Elle n'entendit pas davantage qu'on montait l'escalier ; deux petit coups frappés à la porte la firent sursauter.

— Puis-je entrer ? dit une petite voix claire. C'est moi, Mona...

En même temps, la porte s'ouvrait et Sylvaine regretta amèrement de n'avoir pas pensé à s'enfermer à clef, car la présence de Mona était ce qu'elle désirait le moins, en ce moment ; la seule chose qui lui convînt à présent, c'était la solitude où elle pût ressasser sa misère. Mona, cependant, pénétrait dans la chambre ; elle déposait sur un meuble le candélabre qu'elle portait, tout en demandant :

— Je ne vous dérange pas, Sylvaine ?

— Non, mais... je crois que... je dormais.

Sylvaine espérait ainsi donner le change sur les raisons de l'altération de ses traits, dont Mona aurait été effrayée si elle avait pu penser à autre chose qu'au souci qui brouillait son regard bleu. Et, d'ailleurs, l'ombre portée par les rideaux de cretonne du lit placé dans une alcôve lui dissimulait en partie le visage de son amie.

— Comment vous sentez-vous ? demanda Mona. Vous n'êtes pas vraiment malade, n'est-ce pas ?

— Non, ne vous inquiétez pas, dit Sylvaine.

Et sa voix lui sembla venir de loin, d'un autre monde.

— On dirait que vous êtes enrhumée, remarqua Mona. Votre voix est toute drôle... Tout le monde était ennuyé de votre absence au dîner ; Hervé avait l'air d'une âme en peine. Je crois qu'il aurait bien voulu venir avec moi prendre de vos nouvelles, mais je n'ai pas voulu, vous pensez ! Les hommes n'ont aucun sens des convenances !...

Son timbre de cristal n'avait pas sa pureté habituelle et bientôt, d'ailleurs, elle renonça à feindre. Tandis que Sylvaine frissonnait à la pensée qu'elle aurait pu avoir à affronter Hervé, Mona se laissait aller sur une chaise près du chevet de son amie, et elle soupirait :

— Sylvaine, j'ai du chagrin...

... Insensible à tout ce qui n'était pas la blessure de son cœur et son désir d'une solitude où elle pût souffrir à son aise, Sylvaine ne répondit pas. Mais son mutisme ne découragea pas Mona. Les confidences s'écoulèrent de ses lèvres :

— Vous aviez bien compris, n'est-ce pas, que j'aimais Étienne... Il est si beau, si séduisant! Et je croyais qu'il m'aimait aussi. Quand il a annoncé qu'il venait au Mesnil, j'en ai été sûre! Et j'espérais qu'il allait me demander ma main... Tous les jours, en me levant, je pensais : ce sera pour aujourd'hui... Et... Il s'en va demain sans l'avoir fait!

Tout son charmant et enfantin visage se crispait, des larmes brillaient dans ses yeux bleus.

— Et je comprends bien maintenant qu'il ne le fera pas et qu'il n'a pas l'intention de m'épouser...

Les larmes coulèrent, traçant deux sillages brillants sur ses joues rondes. D'une voix entrecoupée, elle dit :

— C'est sans doute que... je ne suis pas assez jolie...

Un pli d'amertume creusa sa bouche fraîche, quand elle ajouta :

— Ou bien parce que je n'ai pas de dot. Je me souviens qu'il m'a interrogé sur la fortune de mes parents...

... Pauvre Mona! L'enfant inexpérimentée et confiante, à la tête pleine de chimères et de futilités, qui voyait la vie comme une fête animée et brillante organisée selon ses désirs, faisait connaissance avec ses laideurs et se trouvait en face de l'égoïsme, de l'ambition, de la vénalité... Et la

déception était rude. La pitié arracha Sylvaine
à sa dure insensibilité. Mais c'eût été une pitié
cruelle que de raviver en Mona des illusions desti-
nées à périr...

— Je pense que c'est votre insuffisance de fortune qui a empêché Étienne d'Amblemont de
vous demander en mariage, Mona, dit-elle. Et,
à votre place, voyez-vous, je n'accorderais pas un
instant de regret, pas une larme, à un garçon
auquel vous offriez votre tendresse et qui ne pensait, en vous épousant, qu'à réaliser une affaire!
Ne pleurez pas, Mona. Il y a d'autres chagrins
d'amour, plus poignants que le regret d'un homme
vénal...

Sa voix défaillit. Elle pensait avec une déchirante fierté qu'Hervé n'avait pas démérité, qu'il
l'aimait de tout son cœur loyal et qu'il serait
toujours, pour elle, l'image de tout ce qu'il y a de
beau et de noble au monde... Ils s'aimaient d'un
pur et noble amour, et cependant ils ne seraient
jamais l'un à l'autre. Un sort cruel les séparait.
Elle se mordit les lèvres, la gorge contractée par
un sanglot qu'elle voulait retenir.

Et puis, elle pensa que l'innocente Mona risquait d'être punie également ; qu'en reconnaissance
de ce qu'Hervé lui avait apporté, et en expiation
de la peine qu'elle allait lui causer, elle se devait
de consoler de son mieux la petite sœur qu'il
chérissait et l'aider à édifier son bonheur, même si
la honte s'abattait sur son père. Elle ne se demandait pas s'il le saurait, où s'il ignorerait toujours
son geste ; mais cela importait peu. Elle lui aurait,
malgré tout, laissé un gage de son amour, donné
quelque chose d'elle dont il éprouverait la douceur..

Ravalant d'un effort surhumain le sanglot
entêté à jaillir, elle reprit :

— Oubliez Étienne, Mona... Regardez ailleurs...

Vous êtes aimée, je le sais, d'un homme digne de
vous...

D'un minuscule mouchoir, Mona tamponna ses
yeux.

— Vous parlez de Philippe, n'est-ce pas?

— Oui. Celui-là est un cœur honnête et fidèle,
un homme loyal sur l'amour duquel une femme
peut compter, quoi qu'il arrive...

Mona soupira.

— Oui, je sais. Mais... je ne l'aime pas.

Évidemment, l'extrême séduction physique
d'Étienne d'Amblemont faisait paraître, par comparaison, Philippe un peu terne aux yeux de
Mona... Sylvaine se dressa sur son lit, posa la
main sur la tête bouclée de l'enfant et dit doucement :

— Parce que vous avez l'esprit obnubilé par
Étienne, Mona. Mais voyez-le tel qu'il est : une
apparence vaine, un vêtement vide, que vous
aimiez parer de vos illusions de petite fille ; et
bientôt vous ne penserez plus à lui et vous tour-
nerez vos regards vers celui qui vous aime avec
tendresse et loyauté.

Épuisée, elle se tut. Mona baissait la tête en
tortillant son mouchoir mouillé, en poussant de
temps à autre des petits soupirs d'enfant. Son
amour pour Étienne n'était guère qu'une passion-
nette de pensionnaire, qui participait beaucoup
de l'imagination et d'une vanité enfantine entretenu
par sa mère. Mais, blessée, cette vanité souhaitait
une revanche que lui offrait opportunément l'amour
de Philippe. Et la vénalité d'Étienne lui faisait
mieux apprécier le désintéressement de l'autre.
De cette désillusion, Mona sortirait mûrie. Son
cœur, jusque-là enfermé dans une gangue puérile
de futilités et d'amour-propre, s'éveillerait ; elle
saurait reconnaître alors où se trouvait le bonheur

et elle répondrait par un solide attachement à l'amour de Philippe.

... On voyait, derrière la fenêtre dont Sylvaine avait négligé de tirer les rideaux, clignoter les étoiles dans le ciel obscur, et l'on n'entendait pas d'autres bruits que la rumeur des bois gémissant sous l'emprise des ténèbres, le miaulement d'un rapace et le murmure plaintif des oiseaux endormis dans les feuillages. Et, tout d'un coup, le ronflement d'un moteur troubla le silence. Mona leva la tête.

— Tiens, dit-elle, voici Maxime qui sort! Il va évidemment faire une virée dans les mauvais lieux de Rouen et rentrera, ivre, au petit matin... C'est lamentable! Je me demande comment papa peut endurer cette manière de se conduire!

Sylvaine pensa qu'elle savait les raisons de l'indulgence de M. Servaize, mais elle s'abstint de répondre. Mona se levait et, remarquant le visage défait de son amie, elle dit :

— Comme vous avez l'air fatiguée, Sylvaine! Je suis confuse de vous avoir dérangée... Mais, voyez-vous, j'avais besoin de parler à quelqu'un et je ne pouvais me confier à maman. Elle m'aurait fait des reproches et dit que je n'avais pas su m'y prendre avec Étienne ; elle aurait aggravé mon chagrin au lieu de me consoler.

Elle prit un temps pour ajouter :

— Mais vous, Sylvaine, vous êtes comme une grande sœur pour moi... vous comprenez tout...

Elle était venue chercher une consolation et repartait apaisée ; son sourire mouillé était comme un rayon de soleil au milieu d'un ciel pluvieux ; il y eut une nuance d'espièglerie dans sa voix, quand elle acheva :

— Bonne nuit, ma grande sœur! Reposez-vous bien...

Atteinte au cœur, Sylvaine tressaillit ; ces mots brisèrent ses forces et amenèrent des larmes dans ses yeux jusque-là arides. Mais Mona ne s'aperçut de rien et, quand, en embrassant son amie, elle rencontra une joue mouillée, elle crut qu'une de ses larmes était tombée sur le visage de Sylvaine et ne soupçonna pas quel drame son petit chagrin venait de frôler.

Après le départ de Mona, Sylvaine se laissa aller aux larmes, mordant son oreiller pour étouffer ses sanglots, jusqu'à ce que le sommeil la prît. Mais ce n'était pas le repos, l'oubli, la trêve bienfaisante ; seulement une somnolence où, parfois, la pointe aiguë d'une pensée mettait une secousse douloureuse.

L'aube qui blanchissait les fenêtres l'éveilla et tout de suite, avec une terrible lucidité, la mémoire lui revint, et la faculté de raisonner. Et il lui parut au-dessus de ses forces de revoir Hervé! Feindre, mentir, ou dire la vérité, lui semblaient également impossible. Il ne lui restait qu'une solution : partir, sans attendre.

Elle savait qu'il passait, vers sept heures, sur la route nationale, un car qui conduisait à la gare de Rouen ; elle décida de le prendre. La distance pour l'atteindre ne l'effrayait pas. Ensuite... Le détail des actes à accomplir demeurait confus dans sa tête. Elle savait qu'elle irait à Poissy, voir le directeur de la prison, qui s'était toujours montré bienveillant pour elle ; elle obtiendrait l'autorisation de voir son père, auquel elle dirait tout, comme elle devait le faire. Sans doute lui faudrait-il voir un avocat. Mais elle n'aurait plus à décider, et seulement à obéir.

Rapidement, elle empila son linge et ses vêtements dans sa valise et fit sa toilette. Le visage
tragique que lui renvoya le miroir, blême, avec
des yeux formant des taches sombres, lui fit peur
et elle hésita à se reconnaître. Puis elle haussa les
épaules. Que lui importait son aspect ? Il lui restait
encore une chose pénible à accomplir : écrire à
Hervé. Elle prit une feuille de papier et, s'interrompant parfois parce que les larmes brouillaient
sa vue, elle traça :

« Mon ami bien-aimé,

« C'est la dernière fois que je vous appelle
ainsi... Oui, vous avez bien lu : la dernière fois.
Je ne suis pas folle et je voudrais l'être. Notre
amour n'était qu'un rêve, un rêve impossible, et
voici le réveil... Jamais je n'habiterai avec vous la
maison de notre amour ; jamais nos pas rapprochés
dans les chemins solitaires ne nous donneront,
comme parfois, l'impression du paradis sur terre ;
jamais plus je n'appuierai ma tête contre votre
épaule, Hervé, que j'appelais mon Chevalier d'Espérance, parce que, dans mon existence démunie,
vous apportiez la joie et l'espoir. Mais une fatalité
lugubre rend notre union impossible... »

Elle s'arrêta, essuya ses yeux puis reprit la
plume. Et, parce qu'elle ne voulait pas accuser le
père devant le fils, elle écrivit :

« Vous saurez un jour ce qui nous sépare ; je voudrais que cela ne soit pas moi qui vous l'apprenne,
et je pleure en songeant à la souffrance qui sera la
vôtre. Mais votre cœur ne peut être plus brisé
que le mien ! Je pars désespérée, mais il le faut.
Et je vous supplie de ne pas chercher à me revoir :

cela ne changerait rien et ne servirait qu'à rendre tout plus difficile. Adieu pour toujours.

« Votre SYLVAINE. »

Et, tandis qu'elle fermait la lettre, inscrivait la suscription et la plaçait bien en vue sur la table de chevet, de manière qu'elle fût remise à Hervé, une agonie de regrets torturait son cœur.

Sans faire de bruit, elle sortit. Une fois dehors, elle regarda la maison où elle avait vécu des heures si diverses ; où, après avoir connu l'horreur d'un crime que son père expiait, puis l'enchantement d'un amour partagé, elle partait, emportant la liberté pour l'innocent et, pour elle-même, le renoncement au bonheur...

... Derrière une de ces fenêtres reposait Hervé... Mais c'eût été folie que d'espérer revoir une dernière fois son visage. Il lui fallait partir, traînant derrière elle son cœur qui criait de regret, et quitter la maison silencieuse qui lui offrait une façade énigmatique, réticente, comme si elle n'avait pas livré tous ses secrets.

Les oiseaux s'éveillait ; le matin était clair et joyeux comme une promesse. Et, cependant, sous la rosée nocturne, les feuilles, les plantes, les roses grimpantes et le gros hortensias à tête lourde semblaient pleurer quelque peine inconnue.

La jeune fille se mit en route. Il lui fallait, pour arriver à l'arrêt du car, passer par les bois, longer des sentiers solitaires et creusés d'ornières, franchir des haies pour traverser des prairies où pâturaient des troupeaux ; elle ne s'en souciait pas. Elle ne rencontra personne, pas même une charrette de paysan, et le silence des bois, où déjà il y avait de l'or parmi les feuilles, était total. La fièvre lui donnait des forces et, malgré le poids de sa valise, elle eut vite atteint le chemin bordé de bois sur lequel donnait la route nationale où passait le car. Elle regarda l'heure à sa montre ; s'apercevant qu'elle était en avance, elle s'accorda de ralentir le pas un instant. Ce fut à ce moment qu'une voiture s'arrêta près d'elle. Un homme en jaillit. Avec un tremblement de tout son être, elle reconnut Maxime. Il était ivre, visiblement. Ses yeux rouges, son visage à la fois marbré et livide, ses vêtements froissés et maculés disaient qu'il sortait d'on ne sait quelle orgie. Battant des bras pour garder un équilibre difficile, il s'avançait vers la jeune fille.

— Mais... je ne me trompe pas, c'est ma fiancée ! fit-il d'un ton gouailleur. Car vous êtes ma fiancée, belle Sylvaine, que vous le vouliez ou non ! Et que faites-vous donc ici, à cette heure ?

Il remarqua bien le ravage du jeune visage, les yeux battus ; mais, pour cet homme corrompu, la douleur n'était qu'une sottise et, désignant la valise de la jeune fille, il fit avec un hochement de tête :

— Ah ! je vois... Vous quittez la maison... Après tout, vous n'avez pas tort... En ce qui me concerne, c'est sans importance : je sais où vous retrouver. D'ailleurs, je commence à en avoir assez de ce bled et nous nous reverrons bientôt, à Paris...

Il bredouillait, la langue pâteuse.

— Mais, avant de nous séparer, vous allez bien me donner un baiser...

Il titubait, tendant en une mimique grotesque sa face avinée.

— Un baiser, pour rançon de votre passage !

La jeune fille le repoussa avec horreur, puis se mit à courir. Mais, encombrée de sa valise, elle ne pouvait espérer le distancer ; il se mit à sa poursuite et l'eut vite rattrapée. Il la saisit par le

bras et approcha à nouveau sa figure de celle de
la jeune fille.

— Je ne vous laisserai pas partir sans un petit
baiser... répétait-il, avec une obstination d'ivrogne.

— Laissez-moi!

Elle se débattait, regardant autour d'elle avec
terreur. Mais quel secours pouvait-elle attendre
dans cette solitude? Or, voici qu'il y eut un bruit
de branches brisées sous une foulée puissante, et
Abel Dumu apparut, franchissant les fourrés sans
se soucier des épines. Il eut bientôt atteint le chemin. Que faisait l'innocent dans les bois à cette
heure? Peut-être y avait-il passé la nuit, trouvant
dans la sauvagerie plus grande de la forêt aux
heures nocturnes quelque secret accord avec sa
nature?... Qui peut connaître les pensées de ces
pauvres âmes?... A moins que, plus prosaïque-
ment, il ne s'occupât tout simplement à relever
des collets. Sylvaine ne songea pas à se poser ces
questions : elle vit simplement qu'il allait la délivrer de Maxime.

— Suis là, moiselle Sylvaine... Marchez! disait
Abel de sa voix rauque et inarticulée.

Il s'approchait, effroyable et menaçant, avec sa
poitrine musculeuse, ses longs bras de gorille,
qui révélaient une force herculéenne... Maxime
reculait pas à pas, voulant plastronner... Mais,
comme Abel étendait le bras pour le prendre à la
gorge, il ne dut qu'à un rapide saut de côté de
lui échapper. Et, quand il vit à nouveau venir
vers lui la face hideuse de l'innocent, en proie à
une colère bestiale, grondant de rage en découvrant les dents, et avancer les mains énormes, il
fut saisi de panique et, sans savoir ce qu'il faisait,
il se mit à courir à travers bois... L'innocent allait
se lancer à sa poursuite, mais Sylvaine l'appela :

— Abel, il faut le laisser...

Soulagée de voir tout à l'heure l'innocent apparaître, elle craignait maintenant qu'il ne fît un mauvais parti à Maxime. Abel hésitait, se balançant sur ses longues jambes.

— Abel, dit encore Sylvaine, il y a ma valise à porter...

Alors, comme un animal dompté, il obéit à la douce voix, prit la valise de la jeune fille et, ensemble, ils se dirigèrent vers l'arrêt du car. Sylvaine ne sut pas ce qui se passa ensuite...

***

Envahi par une terreur que seule pouvait expliquer la quantité d'alcool absorbée, Maxime courait à travers bois, persuadé qu'Abel était à ses trousses. Il traversait sans y prendre garde les touffes de ronces et les ajoncs, tombait, se relevait, s'accrochant aux épines, talonné par la frayeur de cette face hideuse dont il croyait sentir le souffle sur sa nuque, de ces longs bras dont il lui semblait subir l'étreinte mortelle autour de son cou. Ses dents claquaient, un gémissement sourd et continu s'échappait de ses lèvres. En proie à cette terreur folle, insensée, il fuyait, comme jadis le seigneur de Varendal entraîné par les fantômes de ses remords, sans savoir où il allait, sans reconnaître l'humidité et l'odeur de pourriture qui annonçaient l'approche du gouffre.

Et, tout d'un coup, il sentit le sol se dérober sous ses pas et, avec un hurlement de damné, il tomba, s'engloutit dans les eaux noires du Saut du Maudit... sans laisser de traces... tel un démon malfaisant.

CHAPITRE XV

... Il semble parfois que le mystérieux metteur en scène qui règle le cours des événements de notre vie fasse preuve d'une grande ironie. En effet, au moment où Sylvaine apportait à son père la certitude d'une prochaine libération, il se trouva, par un singulier concours de circonstances, qu'une mesure de clémence venait précisément d'intervenir en faveur du prisonnier : récompense d'un acte d'héroïsme accompli par lui au cours d'un incendie survenu dans les bâtiments de la prison et où, au péril de sa vie, il avait sauvé la fille du directeur. Charles Bréal fut donc remis en liberté quelques jours après la visite de Sylvaine et, sans que la trouvaille faite dans la cheminée, et l'intervention du procureur de la République de Rouen qui s'ensuivit, eussent d'autre résultat que de ratifier le fait accompli.

Quant aux révélations de Maxime concernant le testament, et ses accusations contre M. Servaize, le père de Sylvaine les accueillit sans manifester beaucoup d'étonnement ni d'intérêt. Il ne marqua pas non plus la moindre intention de faire appel à la justice pour revendiquer l'héritage dont il avait été frustré, et faire punir le coupable. Les longues années d'épreuve avaient brisé, chez Charles Bréal, toute combativité ; bien qu'il n'eût guère plus de cinquante-cinq ans, c'était un très vieil homme, usé, affaibli, arrivé à un point de renoncement et de philosophie où toute revanche semble inutile.

La liberté venait trop tard ; il était trop épuisé et sentait trop la douloureuse privation de sa compagne tant aimée, morte de désespoir, pour qu'il pût éprouver une vraie joie. Même guéries, certaines blessures laissent des traces ineffaçables. Et la visite, qu'aussitôt libre il fit à sa mère, contribua à assombrir le pauvre homme ; car la vieille dame, l'esprit troublé et complètement retourné en arrière, au temps heureux, ne voulut pas reconnaître son fils dans cet homme au visage las sous des cheveux blanchis, et se refusa à le suivre. Et comme, d'autre part, elle avait à la maison de retraite un bien-être supérieur à celui dont elle eût joui dans le petit logement de la rue de Vaugirard, il fut décidé qu'elle y resterait.

Sur la recommandation du directeur de la prison, reconnaissant et persuadé en outre de l'innocence de son prisonnier, M. Bréal trouva des travaux de comptabilité à exécuter chez lui ; cette occupation lui convenait car, déshabitué du monde, il redoutait la foule et eût considéré comme pénible l'obligation de se rendre chaque jour dans un bureau. Sylvaine se procura des travaux de dactylographie à faire à domicile, et elle travaillait avec acharnement, afin de gagner de quoi rendre la vie aussi douce que possible à son père.

Quand la jeune fille regardait l'ancien prisonnier, une déchirante pitié lui déchirait le cœur. Que d'épreuves étaient inscrites sur ce visage

douloureux, gravées dans ces rides sans nombre!
En comparant cet homme pâli, courbé, aux traits
ravagés sous des cheveux complètement blancs,
au père blond et joyeux, robuste et droit, de sa
jeunesse, elle s'en voulait d'avoir un autre souci
que lui ; mais cependant elle ne pouvait empêcher le regret de son amour perdu de gémir en
elle...

... Car ce qu'il y a de plus difficile à obtenir,
de plus rare, c'est la paix. On croirait qu'après
avoir accepté le sacrifice, le renoncement, on
connaisse enfin le bienfait du repos, et il en est
ainsi souvent à la fin de la vie. Mais il y a dans
la jeunesse quelque chose qui refuse l'irréparable
et se révolte contre le « jamais plus » à odeur de
néant qui ferme l'avenir...

A vingt ans, le temps semble long, quand il
n'apporte rien ; et Sylvaine, parfois, défaillait
devant la perspective d'une vie sans espoir et
sans rêve. Peut-être se fût-elle résignée, si elle eût
été sans mémoire...

Mais tout lui rappelait le rêve brisé, l'amour
perdu... il suffisait d'une phrase, d'une lecture,
de moins encore, pour que se renouvelât l'amertume des regrets, l'épreuve des souvenirs, pour
qu'en son cœur se plaignît le besoin inassouvi
de bonheur.

Parfois évadé d'un poste de radio, une voix
se mettait à chanter :

> *Si tu venais chanter dans mon village,*
> *Je ferais chanter tous les oiseaux,*
> *Je dirais ton nom aux blancs nuages...*

... Et cet air évoquait pour la jeune fille l'arrivée d'Hervé le soir du bal, la danse esquissée
dans le bureau tandis que la musique jouait au

salon, et l'atmosphère féerique de cette première
rencontre. Des larmes brouillaient ses yeux...
Cela n'était qu'un trop beau mirage, et, bientôt,
le drame avait remplacé la féerie...

Dans son armoire où elle rangeait ses vêtements
il lui arrivait d'effleurer du doigt la robe de taffetas qui la vêtait, ce soir-là ; ou bien la petite robe
de cretonne fleurie, portée le jour des aveux
d'Hervé... Et il lui semblait que les froissements
de l'étoffe lui répétaient les paroles du jeune
homme, ses serments d'amour, mélodie grisante
qui berçait son âme, dont elle avait faim et qu'elle
n'entendrait plus...

Quand il la voyait, lointaine et triste, rêvant
sur sa machine à écrire, Charles Bréal interrogeait
sa fille.

— A quoi penses-tu ?

Elle tressaillait.

— A rien, père...

Elle se levait, venait embrasser son père, et se
remettait au travail qui lui permettait de donner
une douceur supplémentaire au prisonnier libéré.
Celui-ci ne questionnait pas plus avant. Malgré
leur tendresse réciproque, leur séparation prolongée
gênait les expansions entre le père et la fille ; et,
de ses longues années de réclusion, M. Bréal gardait l'habitude du silence et une sorte d'inaptitude
à la conversation.

Par délicatesse, pour ne pas troubler la sérénité
de son père, le mettre dans le cas de se faire juge
et de prononcer lui-même la sentence pénible, Sylvaine lui avait caché son amour pour Hervé et
le malheureux problème qu'elle avait dû résoudre.
Et M. Bréal ne se doutait pas que le front pur de
l'enfant qui lui souriait s'ingéniait à lui faire la
vie facile, cachait un secret ; et qu'elle avait sans
cesse présent à la pensée un visage émouvant, au

beau sourire, aux yeux gris, profonds et tendres.

La jeune fille ne se faisait pas à l'idée de ne plus rien savoir d'Hervé. Elle s'était imaginé qu'il lui écrirait pour lui demander des explications, et elle attendit longtemps une lettre... Mais Maxime avait peut-être lui-même expliqué à sa façon les raisons de son départ... Qu'importait, après tout, puisque de toute manière le mauvais sort voulait qu'ils fussent séparés! Lettres, explications, eussent été douloureuses sans rien changer... Cependant, à cause de cette absence de nouvelles, il lui semblait que quelque chose demeurait en suspens...

L'espoir ressemble à un arbre dont on a coupé le tronc et d'où jaillissent des rejets aussi vigoureux que l'était l'arbre mutilé!... Sylvaine ne savait pas qu'elle espérait, elle ne donnait pas ce nom à ce sentiment qui lui crispait la poitrine lorsqu'un pas s'arrêtait devant leur porte, ni à sa déception lorsqu'il s'éloignait... Car il ne venait jamais personne dans le petit logement.

* *
*

... Cependant, cette fois, il n'y avait aucun doute : quelqu'un s'immobilisait devant la porte, et l'on frappait... La respiration suspendue, Sylvaine s'en fut ouvrir, et poussa une exclamation.

— Vous!

... Elle reculait devant la surprenante apparition que lui livrait la porte... Alix Nadel se tenait devant elle. Mais l'aspect de la jeune femme était fort différent de celui qu'elle offrait habituellement. Il n'y avait plus de trace de fard sur son visage aminci, creusé, à la bouche blême, aux yeux glauques comme une eau stagnante ; et ses traits exprimaient ainsi une détresse que Sylvaine ne leur connaissait pas, et que peut-être les fards masquaient. Un chapeau de feutre noir, sans élégance, et mis au hasard, cachait ses cheveux et son front ; aucune note de couleur n'égayait sa robe d'un noir mat, et elle portait des souliers fatigués à talons plats. Que lui était-il donc arrivé pour qu'elle fût ainsi indifférente à son apparence ? Et sa voix résonna, étrangement atone et lointaine, pour prononcer :

— Ma visite vous étonne, n'est-ce pas ?

Sylvaine ne songea pas à nier.

— Un peu, reconnut-elle.

Le cœur de la jeune fille battait lourdement. Elle se demandait ce que signifiait la venue d'Alix et n'en augurait rien de bon. Elle savait que la jeune veuve la détestait, et qu'elle ne pouvait apporter qu'une aggravation à sa peine, ajouter à sa douleur une douleur plus lourde.

— J'ai besoin de vous parler, dit Alix.

Sylvaine frissonna. N'était-ce pas toujours ainsi que commençait Maxime, lorsqu'il lui demandait un entretien ? Mais elle ne pouvait repousser la visiteuse.

— Entrez, dit-elle.

Désignant M. Bréal, qui s'était levé et saluait la jeune femme, elle ajouta :

— Vous connaissez mon père, n'est-ce pas ?

Alix inclina la tête.

— Oui.

— Il est libre, à présent, par une mesure de grâce.

— J'en suis heureuse, murmura Alix.

Sans autre commentaire, elle regarda l'homme debout en face d'elle. Charles Bréal se taisait ; le silence est ce qui convient le mieux aux âmes blessées, et il ne savait que dire à cette femme qui lui rappelait trop de choses. Ses cheveux, qui avaient repoussé, lui faisaient une auréole de neige et, devant le visage pâle qui révélait tant d'épreuves, Alix, telle une coupable, détourna la tête.

— Asseyez-vous, dit Sylvaine.

Elle obéit et, en même temps qu'elle, l'ancien prisonnier et sa fille prirent place sur des sièges. On était au début de l'après-midi et il faisait beau ; mais il venait peu de jour par la fenêtre donnant sur la cour et, dans la pièce, la présence de cette grande femme en noir jetait une ombre. Alix se taisait et elle regardait autour d'elle : la petite table qui supportait la machine à écrire, les beaux meubles blessés dont parfois le glissant éclat d'un rayon de soleil révélait un détail de sculpture et de marqueterie, épaves du passé ; et sans doute faisait-elle un retour en arrière, comparant la situation de Charles Bréal autrefois avec celle d'aujourd'hui, la jolie villa normande et le petit logement actuel ; et faisait-elle le bilan de cette faillite d'une vie. Les minutes coulaient ; Alix ne se décidait pas à parler et, dans ce silence et cette hésitation, quelque chose d'inquiétant se tenait aux aguets. Brusquement, elle se décida.

— Sylvaine, savez-vous ce qui s'est passé au Mesnil après votre départ ?

— Non, dit la jeune fille.

Un sentiment d'angoisse intolérable l'envahit, et elle interrogea, d'une voix tremblante :

— Est-ce qu'il est arrivé... malheur... à quelqu'un de la famille Servaize ?

— Oui, dit Alix.

Ses paupières battirent sur ses yeux glauques, et elle acheva :

— Maxime Telmont est mort.

— Maxime, répéta Sylvaine.

— Oui, dit encore Alix.

— Mais... il n'était pas malade ?

— Non. Il s'agit d'un accident.

Puis, de ce ton atone, lointain, qui pouvait aussi bien indiquer une indifférence absolue, ou la douleur parvenue à son paroxysme, la jeune femme expliqua :

— On n'en saura jamais tous les détails, car il n'eut aucun témoin. Voici ce qui s'est produit : Le jour où vous avez quitté le Mesnil, et qui était en même temps celui du départ d'Étienne d'Amblemont et de Jenny, il ne parut pas ; on supposa qu'il était resté à Rouen comme cela lui arrivait quelquefois, et l'on ne s'inquiéta pas de son absence. C''est seulement le lendemain qu'un fermier voisin reconnut sa voiture, abandonnée sans conducteur, dans un chemin peu fréquenté à quelques kilomètres du Mesnil. On fit alors des recherches aux alentours, mais sans résultat. On alerta les gendarmes, qui battirent les bois et découvrirent des lambeaux de ses vêtements accrochés aux épines qui entourent le Saut du Maudit. Dès lors, il ne pouvait y avoir aucun doute. Errant dans les bois pour une cause ignorée, peut-être pris de boisson, selon sa funeste habitude, Maxime était tombé dans l'abîme dont rien ne signale le danger.

Sylvaine écoutait, les yeux agrandis... Elle comprenait ce qui s'était passé après qu'elle se fut éloignée en compagnie d'Abel ; que la terreur folle qui possédait Maxime avait obnubilé son esprit troublé par les vapeurs de l'alcool, au point de l'empêcher de voir le gouffre brusquement découvert sous ses pas. Ainsi, sa précaution d'emmener Abel pour éviter qu'il ne poursuive Maxime n'avait pas empêché les destins de s'accomplir, et le Saut du Maudit d'obtenir sa proie. La jeune fille ne put s'empêcher de frissonner devant cette fin atroce.

— Et maintenant que Maxime est mort, reprit Alix, plus rien n'a d'intérêt pour moi, car je l'aimais...

Sa voix s'éteignit dans un sanglot, et Sylvaine reconnut autour de ses lèvres et de ses yeux la trace des larmes corrosives, et elle comprit que sa robe noire était une livrée de deuil. Mais la jeune femme se reprit vite et, jusqu'à la fin, conserva son courage.

— Vous n'avez rien deviné de mes sentiments, n'est-ce pas? et cela vous semble bizarre que j'aie aimé Maxime! L'amour est aveugle, dit-on, et c'est peut-être vrai! En tout cas, ce n'est pas toujours une question de physique ; et avant que l'alcool et la débauche l'eussent avili, Maxime savait se montrer séduisant... Je l'avais connu à l'étude où il était employé comme clerc, alors que je venais de perdre un mari beaucoup plus âgé que moi, épousé par convenance, et que je ne pouvais guère regretter, car j'appris après sa mort qu'il me trompait et m'avait ruinée. Maxime me fit la cour avec adresse, me parla mariage... Je n'avais jamais aimé ; je m'épris de lui follement et pus me croire aimée...

Elle ferma un instant les yeux pour mieux se rappeler cette période qui contenait ses seuls souvenirs heureux, puis elle reprit :

— J'ai payé très cher ces quelques moments de bonheur — ou d'illusion. Mais, bien que Maxime m'eût ensuite fait souffrir comme si j'étais en enfer, je n'ai jamais cessé de l'aimer. En le perdant, j'ai perdu ma raison de vivre, et plus rien ne m'intéresse ici-bas. Mais le suicide est une lâcheté : j'ai trouvé une autre solution ; dorénavant, je consacrerai mes jours à soigner les lépreux, et dans huit jours je m'embarque pour la Nouvelle-Calédonie.

Elle se tut un instant, fixa devant elle un point dans l'infini ; et, solennellement, ses paroles ensuite résonnèrent dans la pièce étroite.

— Mais avant ce départ, qui est pour moi un adieu à la vie, j'ai résolu de libérer ma conscience. C'est la rançon que je dois payer pour trouver la paix dans ma nouvelle existence...

Elle prit une profonde inspiration, comme pour rassembler des forces avant de franchir un obstacle, et prononça :

— Sylvaine, je surveillais Maxime, que je savais épris de vous et, grâce à cela, j'ai entendu ce qu'il vous a dit dans le petit salon au Mesnil. Or, il a menti avec une infernale adresse, car ce n'est pas M. Servaize qui a tué Mlle Chandonnay...

Elle s'interrompit, hésita quelques secondes, puis acheva :

— Le coupable, c'est Maxime lui-même...

Sylvaine s'était dressée sur son siège et, poussant une exclamation de stupeur :

— Maxime ! Est-ce possible ?

— C'est la vérité, dit Alix.

Comme pour lui demander pardon, elle tourna vers Charles Bréal son visage altéré, et sourdement, ajouta :

— Et je fus sa complice...

Sylvaine regardait Alix avec stupeur. Le voile se déchirait : celle qui semblait destinée à tenir dans le drame un rôle effacé se révélait un personnage de premier plan... La jeune fille se rappelait maintenant mille petits faits qui auraient dû la mettre sur la voie et auxquels elle n'avait pas, sur le moment, prêté attention, et qui prenaient à présent leur valeur... signaux inutiles placés sur la route, que la mémoire restitue après coup...

La jeune femme laissa le silence établir sa paix avant de poursuivre.

— Du temps où Mlle Chandonnay tenait sa boutique à Rouen, le commerce d'antiquités n'était pas le seul auquel elle se livrait ; elle prêtait également de l'argent à un taux assez élevé ; et Maxime eut plus d'une fois recours à elle, car ses appointements ne suffisaient pas à ses dépenses. Une fois retirée au Mesnil, la vieille demoiselle ne cessa pas pour cela son petit trafic d'usure. Quand Maxime apprit qu'elle venait de réaliser une grosse somme, il jugea le moment propice à lui faire un nouvel emprunt, bien qu'il n'eût pas remboursé le dernier...

Le premier moment de stupeur passé, Sylvaine écoutait maintenant avec un intérêt intense.

— Dans ce dessein, il fit à vélomoteur le voyage de Rouen au Mesnil. Quand il arriva, il découvrit que quelqu'un se trouvait auprès de Mlle Chandonnay — il s'agissait de M. Bréal. Maudissant l'importun, il se dissimula derrière les hortensias placés devant les fenêtres ; et, de sa cachette, il put écouter la conversation de la vieille demoiselle et de son filleul.

La scène se déroulait avec précision sous les yeux des auditeurs attentifs ; le décor se reconstituait, avec les gros hortensias et le parfum de ce soir d'été.

— Après que M. Bréal fut parti, Maxime attendit quelques instants pour révéler sa présence, puis il frappa à la porte du bureau. Mlle Chandonnay ne fut pas étonnée outre mesure de sa visite, car il était déjà venu au Mesnil ; elle lui ouvrit sans méfiance. Mais elle refusa absolument de lui prêter la somme qu'il demandait. Une discussion s'ensuivit. Pris de rage, Maxime s'empara d'un chandelier et frappa la vieille demoiselle...

Sylvaine porta la main à ses lèvres pour empêcher un cri de jaillir... Une vérité non envisagée

encore éclatait soudain à ses yeux ; en effet, par
une coïncidence qui semblait donner une suite
à la légende, c'était un criminel que le gouffre
avait englouti !

... Après s'être arrêtée pour essuyer ses lèvres
sèches, Alix continuait :

— Ensuite, il explora la pièce pour découvrir
l'argent qu'il savait y trouver. Mais ses recherches
furent vaines. Mlle Chandonnay avait mis à profit
le court laps de temps qui s'était écoulé entre le
départ de M. Bréal et l'entrée de Maxime pour
cacher son argent à un endroit impossible à
découvrir : il s'agissait du panneau de la cheminée
qu'Étienne d'Amblemont fit manœuvrer par
hasard... Attirée par le bruit, j'étais descendue ;
je vis Mlle Chandonnay à terre...

Charles Bréal écoutait, la tête baissée, un pli
douloureux aux lèvres... D'horreur, Sylvaine se
recroquevillait sur son siège. Elle murmura :

— Et... vous n'avez pas cherché... à appeler
au secours ?

Alix crispa les mains l'une contre l'autre, sur
sa jupe noire...

— J'aurais dû le faire... mais cela n'eût servi
à rien ; Mlle Chandonnay était morte. Maxime me
fit jurer de me taire... Mais comment aurais-je
pu le dénoncer ? Je l'aimais...

Elle frissonna, respira longuement.

— L'horreur du crime se perdait pour moi
dans la nécessité de le sauver. Mon silence le
protégea ; personne ne connut sa présence au
Mesnil le soir du crime, et il ne fut même pas
soupçonné. Et moi, je ne voulais pas penser qu'un
innocent expiait à sa place. J'en ai été punie...
durement. Quand Maxime eut quitté Rouen, où
il se déplaisait, pour Paris, je vins à mon tour
dans la capitale pour le rejoindre. Mais je vis bien

qu'il n'en éprouvait pas de satisfaction. Il ne me
parlait plus de mariage, répondait évasivement
quand je lui rappelais ses promesses, évoquant
l'incertitude de sa situation... je compris qu'il
ne m'aimait plus, et que sans doute il ne m'avait
jamais aimée...

Deux larmes coulèrent sur ses joues maigres
où déjà leur sillon se traçait. Avec une affreuse
amertume, elle poursuivit :

— Je ne me résignais pas. Ce que j'avais fait
pour le sauver me donnait des droits sur lui.
Mais il savait bien que jamais je ne le dénoncerais ;
il ne me craignait pas et me raillait.

Il y eut un silence. Sylvaine, qui étouffait,
s'était levée ; elle fit quelques pas dans la pièce,
puis, s'immobilisant devant Alix, elle fit :

— Mais... et le testament ?

— Le testament ?

Alix paraissait se réveiller d'une rêverie morne.

— Il fut volé par Maxime à l'étude où Mlle Chandonnay l'avait déposé et où lui-même était
employé, quelque temps avant la mort de la
vieille demoiselle. Il avait fait son plan depuis
longtemps ; il comptait se servir du document
pour faire chanter son beau-frère, et c'est ce qui
arriva.

Sylvaine comprenait qu'au cours de leur entretien Maxime avait emmêlé d'une manière machia-
vélique le vrai et le faux pour expliquer sa possession du testament ; et cela faisait aujourd'hui
comme si se fût révélé l'envers d'une tapisserie
dont on n'eût connu qu'une face...

— Par une suprême habileté, et pour que
Jérôme ne fût pas tenté de renoncer à la fortune
de sa parente, pour la laisser au véritable légataire, il attendit que Cécile Servaize, à laquelle
son mari ne savait rien refuser, en eût dissipé

une grande partie et que Jérôme fût dans l'impossibilité de la rembourser...

Elle réfléchit un moment, puis dit, pensivement :

— Il devait garder le document sur lui, car on ne l'a pas trouvé dans ses affaires. L'abîme l'aura englouti en même temps que lui.

Sylvaine avait repris place sur son siège, et elle se taisait. A force de se heurter et de s'enchevêtrer, ses idées s'étaient enfuies, laissant dans sa tête un grand vide. Charles Bréal se taisait également. Pas une seule fois, au cours du récit d'Alix, il n'avait prononcé un mot, formulé une interrogation ou un reproche. Son visage ne révélait rien des pensées, des tourments, que ravivaient en lui les paroles d'Alix. Décidée à poursuivre jusqu'au bout sa confession, celle-ci reprit :

— Il est aussi une chose que je dois vous avouer, Sylvaine... C'est moi qui ai mis le collier de Cécile Servaize dans votre placard...

Sortant de sa stupeur, la jeune fille demanda :

— Mais... pourquoi ?

Alix eut un léger haussement d'épaules.

— Pourquoi ? Mais parce que Maxime vous aimait, alors qu'il ne me témoignait que mépris et indifférence, qu'il voulait vous épouser, que vous aviez réussi où j'avais échoué... Pour toutes ces raisons, je vous détestais ; et je voulais vous faire chasser, vous éloigner de Maxime.. Jérôme, qui me savait éprise de Maxime, a dû le comprendre..

... Comme l'histoire du collier semblait un détail insignifiant, au milieu de cette tragédie! C'était un indice, pourtant, qui, à l'époque, eût pu mettre sur la voie.

— Je vous demande pardon de cela comme du reste, reprenait Alix. Avant de partir, je consignerai tout ce que je vous ai dit dans une déposition que j'enverrai au procureur de la République. Vous serez réhabilité, monsieur Bréal. Et moi, je ferai pénitence jusqu'à la fin de mes jours, essayant par mon renoncement, mon dévouement à tous ceux qui souffrent, de payer le crime et de racheter l'âme de celui que j'ai aimé.

... Dans sa robe de lainage noir tout uni et ses souliers à talons plats, elle paraissait porter déjà l'uniforme de la charité, de l'oubli de soi. Certes, il avait fallu la mort de Maxime pour qu'elle fît l'aveu de sa triste histoire et tâchât de réparer le crime dont elle était complice ; mais, le premier moment d'horreur passé, Sylvaine n'éprouvait plus pour elle que pitié.

— Je... vous plains beaucoup, murmura-t-elle.

— Merci, dit Alix.

Elle s'était levée, cependant elle ne se décidait pas à prendre congé. Elle avait encore quelque chose à dire, mais elle hésitait... Toutes les âmes n'atteignent pas d'un coup aux sommets ; certaines ne les gravissent que péniblement, avec de multiples efforts ; et le plus difficile pour Alix était peut-être dans ce qui restait à faire.

— Sylvaine, dit-elle d'une voix étranglée, je vous ai détestée, par jalousie, mais vous êtes une douce et noble petite créature, vous méritez d'être heureuse, et je n'aurais pas rempli entièrement ma mission si je n'ajoutais pas autre chose à mes paroles... Je vous l'ai dit, la veille de votre départ, j'ai entendu votre conversation avec Maxime ; il avait inventé l'histoire qu'il vous a racontée dans le dessein de vous séparer d'Hervé Servaize, qui est digne de vous... Son père n'a, en réalité, commis qu'une faute vénielle ; et il ignorait le crime commis par Maxime. Mais, dans l'impossibilité de rembourser l'argent dépensé par sa femme

alors qu'il s'en croyait légitime possesseur, Jérôme
se trouvait dans une impasse dont il ne pouvait
sortir. S'il eût été seul, il eût dit la vérité. Pour
sa femme, pour sa fille, il fut lâche. Il est maintenant très malade, il a eu une attaque qui l'empêche
de travailler et c'est Philippe, son futur gendre, qui
dirige à présent son bureau. Il a payé la faute
commise par faiblesse. Et croyez-moi, Sylvaine,
vous pouvez sans remords, sans vous croire coupable envers votre père, épouser Hervé que vous
aimez et qui vous aime...

... Arraché à son apathie, à son indifférence
amère, M. Bréal avait tressailli à cette allusion à
un amour partagé de sa fille, comme un violon
longtemps muet qui se souvient d'avoir vibré...
Il se tourna vers Sylvaine et la regarda longuement. Dans ses yeux se lisait une sorte d'étonnement
rêveur ; il ne s'était pas, jusqu'à présent, rendu
compte que, tandis que s'écoulaient les années,
son enfant devenait femme et qu'elle avait dû,
seule, se mesurer avec de douloureux problèmes
de femme.

— Ma petite fille, dit-il sur un ton de reproche,
tu aimais donc ce jeune homme ? Pourquoi ne
pas me l'avoir dit ?

— Père...

Sylvaine était tombée à genoux près de M. Bréal.

— Père, je ne l'osais pas. Hervé m'a aimée, il
m'a offert son nom alors que j'étais seule, pauvre,
méprisée, mais je croyais son père coupable du
crime dont tu fus accusé...

Elle s'interrompit... Jérôme n'avait pas tué
Mlle Chandonnay, mais il n'en demeurait pas
moins vrai qu'en révélant l'existence du testament
qui le dépossédait, il eût en même temps fait
rendre la liberté à Charles Bréal. La jeune fille eut
un sanglot.

— Père, pourrais-tu pardonner à celui qui eût pu te libérer et ne l'a pas fait, oublier tes souffrances?

La main posée sur la tête de sa fille, Charles Bréal restait silencieux... Il songeait aux épreuves passées, à toutes ses peines, à sa femme tant aimée morte de chagrin, à l'aïeule dont l'intelligence s'était prématurément affaiblie... Mais son regard voilé par l'amertume des souvenirs rencontra, levées vers lui et brillantes de larmes, les sombres prunelles veloutées de sa fille, si semblables à celles de sa femme ; et ce fut comme si le doux fantôme de celle qu'il pleurait s'adressait à lui et lui soufflait d'oublier toutes les rancunes terrestres... Il sut ce qu'il fallait dire et une grande paix descendit dans son cœur.

— Ah! dit-il, qu'importe ce que j'ai enduré! Plutôt que de songer à punir, ne vaut-il pas mieux pardonner?

Il caressa tendrement les doux cheveux blonds de sa fille et reprit :

— Celui que tu aimes sera mon fils, puisqu'il t'aimait assez pour faire de toi sa femme, alors que j'étais en prison. Votre amour me paiera de toutes mes douleurs, effacera toutes mes tortures ; votre bonheur me fera oublier le passé...

Les larmes de Sylvaine coulaient sur les mains de son père, tandis qu'il achevait, tourné vers Alix :

— Vous pourrez dire à ce jeune homme qu'aime ma fille que je l'attends... et qu'il sera le bienvenu...

Alors, pour la première fois, sur les lèvres d'Alix, s'épanouit le sourire épuré, serein, oublieux de soi-même, qu'elle apporterait au chevet des malades.

— Il ne tardera pas, dit-elle. Il est en bas, dans sa voiture, et attend pour savoir s'il peut monter...

*
* *

Elle était sortie, silencieusement, et dans la
pièce qu'elle venait de quitter, le père et la fille
pleuraient dans les bras l'un de l'autre, et ces
larmes emportaient les dernières âcretés de leurs
peines, et il s'y mêlait une grande douceur. Bientôt, à nouveau, on frappa à la porte... Alors, ses
traits meurtris éclairés d'un sourire qui se rappelait,
le père se retira dans la pièce voisine, pour qu'aucune
présence importune ne gênât les amoureux...

Et, dans l'encadrement de la porte, Hervé parut,
mince et beau dans son costume gris, avec son
visage qui ne ressemblait à aucun autre et qui illuminait la pièce. Il portait l'amour dans ses yeux,
l'espérance dans son sourire... Sylvaine le regardait, et elle oscillait comme si le bonheur, succé-
dant trop vite au désespoir, lui enlevait la force
de se soutenir. Avec un petit sanglot, elle murmura
son prénom.

— Hervé...

— Sylvaine...

Ils se contemplaient d'un air ébloui.

— Mon amour, dit encore le jeune homme,
l'heure du bonheur est enfin arrivée...

Il ouvrit ses bras et, avec un soupir heureux,
Sylvaine se laissa aller contre son épaule. Et, tandis qu'ils écoutaient leurs cœurs proches battre
du même rythme, un oiseau égaré dans la cour
vint se poser sur l'appui de la fenêtre et se mit à
chanter, égrenant roulades sur roulades... Et sa
petite poitrine tiède, toute gonflée, semblait
envoyer, plus haut que les toits, vers le ciel,
un chant d'allégresse et d'espérance victorieuse.

ÉPILOGUE

Tout était frais et pur en cette radieuse journée du printemps provençal. Entourés de la ronde des abeilles en quête de leur suc, les roses et les lilas exhalaient dans l'air leurs parfums capiteux ; le soleil versait à flots ses chauds rayons sur les collines brunes, les vignobles, les champs de lavande, les oliviers argentés et les hauts cyprès noirs qui formaient un fond de décor à la maison basse, aux murs blancs, dont le porche d'entrée portait une inscription :

MAS DE L'ESPÉRANCE

Dans le jardin tout fleuri, deux hommes se tenaient à l'ombre d'un micocoulier. Dans l'un d'eux, on pouvait reconnaître Charles Bréal, le teint plus vif, l'air moins las, mieux portant et comme rajeuni, tandis que l'autre montrait le visage déformé par l'hémiplégie de Jérôme Servaize, qui occupait un fauteuil roulant à l'aide duquel il se déplaçait. Entre eux, il y avait une voiture d'enfant dans laquelle dormait un beau bébé blond, une goutte de lait au coin de sa bouche semblable à une corolle ; et, tout en devisant, les deux hommes veillaient sur son sommeil, remontant, s'il le fallait, la mousseline qui le protégeait des mouches et faisant tourner la voiture pour que le soleil ne l'atteignît pas.

Tout d'un coup, la porte de la maison, si blanche contre la haie de cyprès qui la protégeait du mistral, s'ouvrit pour livrer passage à Hervé et à Sylvaine, couple resplendissant de beauté et de bonheur. L'un près de l'autre, ils avancèrent vers les deux hommes.

— Mona et Philippe annoncent leur arrivée pour demain, dit Sylvaine en brandissant une lettre. Et leur mère les accompagne.

— C'est la première fois que Cécile consent à quitter Paris au mois d'avril, rétorqua M. Servaize.

— Tout arrive! fit Hervé en riant. C'est signe qu'elle a complètement adopté Philippe comme gendre... et Sylvaine comme belle-fille.

Il posait sur sa femme son regard amoureux et, en réponse, elle eut vers lui le sourire tendre et recueilli de ceux dont le bonheur est acquis, le cœur rassasié.

— Je le crois, et j'en suis heureuse, déclarat-elle. Au reçu de cette lettre, j'ai été arracher Hervé à la contemplation de ses oliviers, afin qu'il m'emmène « en » Avignon faire des emplettes pour arranger au mieux les chambres de nos invités. Je puis m'absenter sans crainte, grand-mère fait la sieste dans sa chambre, après m'avoir affirmé qu'elle ne regrettait pas du tout sa maison de retraite.

En souriant, elle ajouta :

— Quant à mon fils, il ne risque rien, avec deux nourrices telles que vous!

Du bout des doigts, elle envoya un baiser aux deux hommes.

— A tout à l'heure...

— A tout à l'heure, répéta Hervé.

Les deux jeunes gens s'éloignèrent en direction de la maison. Hervé avait pris sa femme par la taille et, sur l'allée brillante de soleil, leurs deux formes enlacées ne formaient qu'une ombre. Il y avait dans l'air des soupirs, des murmures, des souffles attendris ; les roses s'effeuillaient, les lilas inclinaient leurs hampes mauves, comme pour saluer au passage le couple amoureux que les deux hommes suivaient d'un regard ému.

— Ils sont heureux, murmura Charles Bréal.

Et, de sa voix embarrassée par la paralysie, Jérôme Servaize répondit avec humilité :

— Grâce à vous, qui avez su pardonner... oublier...

— Ah! soupira Charles Bréal, la rancune est aride et stérile ; il n'est pas de paix sans pardon...

Il s'interrompit, car l'enfant d'Hervé et de Sylvaine s'agitait dans sa voiture ; il le berça un instant et, quand il se fut endormi à nouveau, il reprit :

— Que savons-nous de la raison profonde des choses ? Peut-être nos erreurs, nos fautes, nos souffrances et nos sacrifices étaient-ils nécessaires au bonheur de nos enfants, et pour que naquît ce petit être qui nous continuera!

Jérôme Servaize inclina la tête.

— Peut-être, dit-il.

... Les hirondelles faisaient leurs nids au bord du toit plat de tuiles rouges ; une chanson d'amour venait de l'oliveraie proche dans laquelle une jeune bergère gardait les moutons ; et, dans l'ombre tiède du micocoulier, les deux hommes, silen-

cieusement, rêvaient, entrevoyant confusément
un ordre ignoré, dans lequel l'innocent rachète
le coupable repentant afin qu'il soit pardonné,
dans une communion d'indulgence et de bonté...

FIN

OUVRAGES PARUS
DANS LA COLLECTION
FLORALIES

MARIANNE ANDRAU

Un curieux gitan
Un amour téméraire
Le bel insolent de Venise
Le passager de Calais-Douvres
Un charmant vaurien

ALIX ANDRÉ

L'éternel passant
Lac-aux-ours
Le prince blanc
L'hymne au soleil
La maison du corsaire
Ce soir-là, à Venise
Son Altesse mon mari
La dame de Malhanté
Le seigneur de Grünsfeld
L'écuyer de la reine
Dans l'ombre de Stéphane
Le chevalier errant
Notre-Dame-des-Neiges
L'ennemie
Escale dans la tempête
L'héritage des Dunham
Un homme venu de la nuit
Trois roses pour une infante
Le maître de Mortcerf

ANNE-MARIEL

Le rêve éblouissant

JEAN D'ASTOR

Le manoir des Mortes-Amours
La belle et le menteur
L'amour est une excuse
La Belle du Clos-perdu

CLAUDE-ANDRÉE BERT

Rosamaria

SUZANNE CLAUSSE

De sable et d'or
Cet amour impossible
L'ennemie secrète
Qui es-tu, mon amour?

CORIOLA

Pour toi seul
Le plus grand amour
La troisième femme
La roche aux cerfs
La dame de Meyserling

LÉO DARTEY

Et si je t'aime
Mais l'amour...
Le chant sur la falaise
Le sacrifice de Tanna
Ton amour vaut un royaume
Ma petite fée
Marjolaine
Une ombre de bonheur
Le serment dangereux
La nuit de Vallauris

DELLY

La jeune fille emmurée
La louve dévorante
L'accusatrice
Le drame de l'Étang aux Biches
Annonciade
Un amour de prince
La lampe ardente
L'orpheline de Ti-Carrec
Gwen, princesse d'Orient
Le roseau brisé
Ma robe couleur du temps
Des plaintes dans la nuit
Le rubis de l'émir
Ourida
Salvatore Falnerra
Pour l'amour d'Ourida
Un marquis de Carabas
Laquelle?
Orietta
Le roi de Kidji
Elfrida Norsten
Le roi des Andes
L'ondine de Capdeuilles
L'enfant mystérieuse

Gilles de Cesbres
Le sphinx d'émeraude
Bérengère, fille du roi
Sous l'oeil des brahmes
Hoëlle aux yeux pers
La fée de Kermoal
La villa des serpents
Le mystère de Ker-Even (Tomes I et II)
Anita
Une mésalliance
Sainte-Nitouche
La colombe de Rudsay-Manor
Le repaire des fauves
Les deux fraternités
Le sceau de Satan
Aélys aux cheveux d'or
L'orgueil dompté
Le feu sous la glace
Ahélya, fille des Indes
Les seigneurs loups
Lysis
L'illusion orgueilleuse
La biche au bois

DORIS FABER

Une fille de décembre

CLAUDE FAYET

Lh'éritière
La dame aux jacinthes

Serreloup

DANIEL GRAY

Saison sèche

L'homme du Sud

CLAUDE JAUNIÈRE

Loin de mes yeux
Lune de miel
J'aimais un vagabond
L'âge de l'amour
Romance à Grenade
Combat contre mon cœur

La sixième fenêtre
Pourquoi lui?
Le temple inachevé
Une fille laide
Je l'appelais Sweethie

LUISA-MARIA LINARÈS

La vie commence à minuit
Je t'aime presque toujours
Huit heures, Jean. Dix heures, Paul
La nuit, je suis indiscrète
Un mari à prix fixe
Sous la coupe de Barbe-bleue
Cette nuit, je rentrerai tard
Ne dis pas ce que j'ai fait hier
C'est la faute d'Adam
Anita la jolie
Unis pour l'aventure
Salomé la magnifique
Mon fiancé l'empereur
Douze lunes de miel

MAGALI

Un amour comme le nôtre
L'homme que j'ai épousé
Autant en emporte l'amour
L'invitée du week-end
La messagère
Castel-Pirate
Rendez-vous au bord du fleuve
Un baiser sur la route
Les couleurs du rêve
La crique aux bleuets
Sibyl et le baron des neiges
Sa femme est une meurtrière
La sorcière de la mer

CONCORDIA MERREL

L'amour balance
Par un long détour
Ni amour ni maître
L'ombre sur le bonheur
C'est toi que je cherchais
L'amour trébuche
Le phare s'allume
Le ciel se voile
Le double piège
L'amour l'emporte
La maison d'autrefois
D'un coup d'aile
A la poursuite du bonheur

DENISE NOËL

D'un cœur à l'autre
Le bal des loups
Pas de pitié pour l'infidèle
Il est minuit, Cendrillon
Pas d'imprudences, Véronique
Clairemare
Le rendez-vous de Maguelonne
La maison des secrets
Incorrigible jalouse

NELL PIERLAIN

La nymphe du lac

LILIANE ROBIN

Sœurs ennemies
Christine des brumes
Le prisonnier de Junqueira

ACHEVÉ D'IMPRIMER LE
13 JUIN 1974 SUR LES
PRESSES DE L'IMPRIMERIE
BUSSIÈRE, SAINT-AMAND (CHER)

— N° d'édit. 239. — N° d'imp. 753. —
Dépôt légal : 2ᵉ trimestre 1974.

Printed in France